Ivette Cabello Nov. '99

Vie et mort du Roi Boiteux

DU MÊME AUTEUR

La Mandragore, Leméac, 1982.
Les Milles et une nuits, Leméac, 1985.
Don Quichotte, Leméac, 1985.
Le Titanic, Leméac, 1986.
Cinq études, Leméac, 1994.

JEAN-PIERRE RONFARD

Vie et mort du Roi Boiteux

tome 1

Introduction
de Jean-Cléo Godin et Pierre Lavoie

LEMÉAC

Photographie de couverture : Gilbert Duclos

ISBN 2-7609-0099-1

1124, rue Marie-Anne Est, Montréal (Qc) H2J 2B7
Dépôt légal – Bibliothèque nationale du Québec, 3e trimestre 1981

Imprimé au Canada

VIE ET MORT DU ROI BOITEUX, OU L'IMAGINATION AU POUVOIR

Jean-Cléo Godin et Pierre Lavoie

Inventer une forme de théâtre qui rapproche celui-ci de la fête [...] Pour que le théâtre devienne véritablement une fête, il faut explorer une mythologie qui puisse être partagée par l'ensemble des spectateurs.

Jean-Pierre Ronfard[1]

Vie et mort du Roi Boiteux *est une œuvre colossale, fascinante: un cycle de six pièces (plus un prologue et un épilogue) où Jean-Pierre Ronfard réinvente la Fête, retrouve l'esprit et le souffle des mystères médiévaux, des «pageants», le foisonnement des carnavals. Le couronnement du* Roi Boiteux *et la Fête auront véritablement lieu au cours de l'été 1982, lorsque les six pièces seront jouées dans une même journée, lorsque spectateurs et comédiens seront confrontés au Temps, partageant ces douze heures de jeu entrecoupées de pauses et de divertissements, dans une atmosphère de foire où clowns, jongleurs et acrobates pourront divertir les spectateurs à l'heure des repas.*

---

1. «À la question: Jean-Pierre Ronfard», entrevue réalisée par Michel Beaulieu, *Jeu 3*, été-automne 1976, p. 67.

La fête, proclame Ronfard, s'inscrit dans le mythe. Pour créer et alimenter cet univers gigantesque, cette saga parodique, il a puisé à plusieurs sources. Le mélange du temps et de l'espace, les anachronismes échevelés et créateurs de cette œuvre lui ont permis de choisir ses références aussi bien dans le monde de la pensée judéo-chrétienne que dans la tradition épique du Moyen-Orient, chez les Tragiques de toute la littérature occidentale comme chez certains romanciers du monde moderne, du Québec ou d'ailleurs : Gabriel Garcia Marquez ou Günter Grass, William Shakespeare ou Eschyle, le Turc Kemal ou le Québécois Victor-Lévy Beaulieu. L'étonnant, et qui révèle chez l'auteur une grande maturité intellectuelle et une égale maîtrise de l'écriture, c'est que se soit constituée ainsi, à partir d'univers si divers venus d'horizons et de siècles éloignés, une fresque épique cohérente où le spectateur québécois pourra se reconnaître, à travers laquelle il retrouvera la Fête.

Jean-Pierre Ronfard a su mettre à profit, ici, les expériences vécues au Québec (depuis 1960), et dans divers pays du bassin méditerranéen : Algérie, Grèce, Portugal aussi bien que sa France natale. Il a beaucoup lu et observé et son métier de metteur en scène l'a amené à se mesurer à des œuvres diverses et exigeantes : les Choéphores d'Eschyle, Ubu Roi de Jarry, le Roi se meurt et Macbett de Ionesco, Ah! Ah! de Réjean Ducharme, les Oranges sont vertes et la Charge de l'orignal épormyable de Gauvreau. Si les références à la Bible ou aux grands classiques sont plus nombreuses et facilement repérables, toutes ces œuvres n'en dessinent pas moins un itinéraire dont les traces se retrouvent, parfois, dans le cycle du Roi Boiteux. L'ensemble de ces riches expé-

riences a permis à Ronfard de donner une œuvre de maturité bien qu'il ait, à ce jour, signé peu d'œuvres dramatiques.

Dans la genèse de cette œuvre, il faut aussi tenir compte du travail fait en collaboration au Théâtre expérimental de Montréal depuis sa fondation, en 1975. Le groupe fondateur comprenait, outre Ronfard, Robert Claing, Robert Gravel, Pol Pelletier et Pierre Pesant. Le premier spectacle du T.E.M., Une femme, un homme, *présentait déjà un tableau intitulé «Le Cheval et la femme»*[2] *dont on retrouve des échos dans la scène 13 des* Voyages *lorsque Annie Williams chevauche Robert Houle, transformé en cheval par l'enchanteresse Circé.* Lear, *«anti-adaptation bâtarde de William Shakespeare» créée en 1977, offre des ressemblances plus évidentes et plus importantes. Une même volonté farouche de célébrer la dérision et la bâtardise parcourt tout le cycle du* Roi Boiteux. *Même le langage (alternance des niveaux de langue) et la scénographie (costumes en guenilles, technique de jeu «primitive») perpétuent l'écriture de* Lear. *De* Zoo[3], *on a retenu la présence d'animaux vivants — les chats de Roy, les cochons de Circé, le canard de Judith, etc., — alors que les objets «shootés» en or — la bouteille de coke d'Annie et Freddy — et le tas de sable* (l'Enfance) *se trouvaient déjà dans* Orgasme *(I et II). Comme dans le Prologue, on utilisait des lampes de poche dans* Lumière s.v.p. *et la finale de* Finalement

---

2. *Une femme, un homme (Exercices pour comédiens), Trac 1,* décembre 1976, p. 32-55.
3. Robert Gravel, «Propos sur *Zoo* pièce de théâtre», *Trac 3,* mars 1978, p. 29-48.

faisait évoluer des femmes en hauteur, sur des échafaudages, tout comme dans la seconde pièce où les femmes sont juchées sur des échasses. Le climat merveilleusement trouble des relations entre certains personnages existait déjà dans Inceste. *Les improvisations proposées à la scène 8 des* Voyages *renvoient clairement au mode de fonctionnement de la* L.N.I. *Signalons enfin que le sacrifice d'Iphigénie, tiré de l'*Orestie *d'Eschyle et qui inspire la scène 5 des* Voyages *constituait l'un des* Treize tableaux *joués en 1979.*

«L'écriture de ces pièces», précise Ronfard à propos de Vie et mort du Roi Boiteux, *«n'a été possible que grâce à la collaboration, l'attention constante et l'amitié de Robert Claing, Robert Gravel et Anne-Marie Provencher, mes complices du Théâtre expérimental de Montréal»*[4]*. En septembre 1979, ce groupe songe à un projet intitulé* Shakespeare Folies, *un «théâtre de variétés» peuplé de personnages shakespeariens. Une étude sur l'art pictural en relation avec l'art théâtral, ainsi qu'un travail sur la tragédie des Atrides viennent interrompre ce projet. Le T.E.M. présente alors, en décembre 1979,* Treize tableaux[5]*. De janvier à avril 1980, retour à Shakespeare: lecture complète de l'œuvre, discussions, ateliers d'écriture à quatre dans le but d'en transposer le ton et l'atmosphère. Soudain, — coup de*

---

4. Entrevue accordée à Pierre Lavoie, le 14 juin 1981.
5. Ce spectacle, l'une des plus belles réussites du T.E.M., a été vu par un public très limité. Pour un compte rendu de ce spectacle, qui offre de nombreux liens de parenté avec le *Roi Boiteux* — ne serait-ce que pour la réappropriation des mythes et des tragédies classiques —, voir Paul Lefebvre, «Treize tableaux», *Jeu 17,* p. 108-111.

théâtre, illumination — Jean-Pierre Ronfard apporte un jour l'arbre généalogique des principaux personnages de ce qui s'appelle alors le Cycle du Roi Boiteux *et décide (avec l'accord du groupe) d'assumer seul la responsabilité de l'écriture du texte. Entre ce moment et la première lecture complète de l'œuvre, le 29 janvier 1981, la «bande des Quatre» se rencontre régulièrement, échangeant idées et impressions sur la création en cours. Du 8 février au 29 mars 1981, le texte connaît cinq lectures semi-publiques réunissant chaque fois entre vingt et quarante personnes. Par ces lectures, on voulait connaître les réactions des gens du métier et analyser les possibilités de production. L'accueil est aussitôt enthousiaste et les hésitations du groupe disparaissent. «Personne, actuellement», affirmait récemment Jean-Claude Germain, «ne peut monter une pièce de quarante personnages, fût-elle géniale: alors pourquoi l'écrire?»[6] L'appui inconditionnel des premiers auditeurs a convaincu le T.E.M. d'apporter un démenti retentissant au célèbre dramaturge et de s'engager dans cette folle aventure. Le 4 avril 1981, on forme la cellule autogestionnaire responsable de la production des trois premières pièces, jouées en alternance comme un «théâtre-feuilleton» dans les cours extérieures de l'École nationale de théâtre, du 20 juillet au 20 août 1981; à la cellule de base du T.E.M. s'ajoutent Diane Miljours, Ginette Morin, Patricia Nolin, Gilles Renaud et Paul Savoie.*

---

6. «Jean-Claude Germain: au théâtre d'aujourd'hui», entretien avec Bernard Andrès et Yves Lacroix, *Voix et Images*, vol. VI, n° 2, hiver 1981, p. 174.

Une lecture publique de l'œuvre entière a lieu le 23 mai 1981, dans le cadre du XIVe festival de l'Association québécoise du jeune théâtre. Le 1er juin, la production du prologue et des trois premières pièces débute. Du 15 novembre 1981 à la fin de janvier 1982, la Jeunesse et les Voyages, *les pièces les plus longues du cycle, seront présentées à l'Espace libre, rue Fullum. À l'été 1982, on ajoutera la dernière pièce,* la Cité, *pour ensuite jouer le cycle entier en une seule journée.*

*

* *

«Dérision. La vie et le temps s'accouplent au son des grandes orgues. Et il en sort toujours des bâtards. Vive les bâtards!»[7] *En plein cœur du cycle du* Roi Boiteux, *ces phrases de la voyante Lou Birkanian font écho au* Lear *de Jean-Pierre Ronfard. Shakespeare montrait un roi Lear prêt à céder le pouvoir à ses filles, qui se le disputent sauvagement. Ronfard opte pour la parodie, la dérision et jongle avec la légitimité d'une lignée royale. Dans cette perspective, c'est le fils bâtard de la femme de*

---

7. *La Jeunesse*, scène 15. Les autres renvois au texte de *Vie et mort du Roi Boiteux* seront mis dans le texte, après la citation, la pièce étant identifiée par un chiffre romain, suivi du numéro de la scène.

chambre Corneille qui réclame le pouvoir: Hector trône sur sa «chaudière de marde», dénonce ce «vieux débile» qu'est le roi Lear et proclame, «avec la force convaincante du contestataire de choc: Les bâtards au pouvoir!»[8]

Les coordonnées sont clairement établies, la genèse et la continuité évidentes. Les grands cycles shakespeariens des rois Henry et Richard, aussi bien qu'une longue tradition théâtrale centrée sur le roi-héros et remontant à Eschyle, Sophocle et Euripide, forment le riche substrat de l'inspiration. Mais les grandes orgues et les trompettes du sublime se marient aux crécelles et à la cloche de la mort et du grotesque, les généalogies royales légitiment la bâtardise, bouleversant les chronologies pour admettre la confusion du passé et de l'avenir, la rencontre de Brecht et de «Toto» Aristote, de Jeanne d'Arc et de Mata Hari..., de Jean-Pierre Ronfard et de Shakespeare (seul fantôme à ne pas apparaître dans ce grand cycle, mais dont l'ombre est omniprésente), chevauchant tous les âges depuis la Création jusqu'aux enquêtes de la C.E.C.O. sur les petits rois de la pègre québécoise et habitant tous les royaumes, depuis celui des héritiers du trône de Salomon ou quelque mythique Azerbaïdjan, jusqu'aux territoires du roi de l'Abitibi ou le petit quartier de l'Arsenal.

Dans Vie et mort du Roi Boiteux, *c'est sans doute Filippo Ragone, l'ancêtre éternel, dit «le Débile», qu'il faut mettre en parallèle avec Lear. Lui aussi travaille à assurer le pouvoir de sa fille. Impo-*

---

8. Jean-Pierre Ronfard, *Lear, Trac,* Texte I du Théâtre expérimental de Montréal, avril 1977, p. 20-21.

tent, traversant la scène dans sa chaise roulante[9] *comme un trouble-fête, mais omniprésent comme la conscience du coupable, il est le fou et le sage, le patriarche tourné vers l'avenir: on le trouve à la source de la généalogie royale et le dénouement lui sera réservé. Quant à la lutte pour le pouvoir que se livrent les filles du roi Lear, on peut la voir transposée, ici, dans la rivalité acharnée entre la famille royale et le clan Roberge: le clan des femmes, descendance du roi d'Abitibi.*

Mais dans ce bouillon de culture, la référence à Lear *ne suffit pas, comme en témoigne la treizième scène de la quatrième pièce. La Reine mère Catherine évoque celle de Russie, et davantage Catherine de Médicis, belle-fille de François 1er et mère de trois rois de France. Toutefois, son personnage est modelé sur Agrippine. D'où ces passages empruntés au* Britannicus *de Racine, rappelant à la suite de quelles manigances Néron usurpa le trône de Britannicus.*

> Vous régnez: vous savez combien votre naissance
> Entre l'empire et vous avait mis de distance.

Or, dans la lignée royale, il est clair qu'Alcide, fils de François Premier et d'Augustine Labelle «morte en couches» vient avant le fils de la seconde femme,

---

9. Cela ne suffirait pas à justifier un rapprochement avec le grand-père paralytique des *Grands Départs* de Jacques Languirand, mais il y a d'autres ressemblances, en particulier dans les conclusions: dans chaque cas, c'est ce témoin apparemment gênant ou inutile qui assure le dénouement.

Catherine. S'il n'est pas bâtard, le Roi Boiteux sera donc illégitime jusqu'à la mort d'Alcide. «Alcide Premier est mort. Seul demeure héritier légitime du grand François Premier, mon époux, Richard, ici présent...» (IV, 6), proclamera Catherine. Mais après, comme avant, Richard sait que sa mère exerce le pouvoir, ce qui le met dans l'obligation de tuer sa mère pour régner. À la figure de Richard-Néron se superposent alors celles de Hamlet et d'Oreste, les grands héros-victimes de la tradition théâtrale. «Le règne de Catherine Ragone est achevé... Vive à jamais le roi Richard!» (VI, 10). Mais Richard ne régnera qu'un instant et sa mort semble signifier une revanche à la fois du clan Roberge sur la famille royale et d'Alcide Premier sur son demi-frère. Il meurt en effet le cœur transpercé par une flèche: c'est ainsi qu'Alcide Premier avait tué le passeur qui avait violé sa femme (III, 12). Ce n'est donc pas un hasard si la séquence finale nous montre Richard expirant «la tête sur les genoux de la fille de Leïla», autre femme d'Alcide. Ce n'est pas un hasard, non plus, que la flèche soit décochée par Moïse, le fils bâtard de Judith Roberge et de Marc Lemieux, l'obscur «Prince Marc» (V, 16). «Vive la bâtardise / Qui bouleverse les lois / Qui souille les églises / Et détrône les rois»[10]: ce couplet chanté par Hector pourrait servir d'épitaphe au Roi Boiteux.

La mort de Richard permettrait même de supposer que, dans cette saga ouverte sur tous les horizons et tous les âges, le Roi Boiteux n'est qu'un passeur, un personnage de transition. «Il domine la terre et bientôt l'univers. Mais il boite.» (IV, 1), avait pré-

---

10. *Lear*, *op. cit.*, p. 21.

venu le Temps. Comme les pieds liés d'Œdipe[11], sa claudication le définit et détermine son destin : profondément infirme, il est fait pour être dominé, non pour dominer. Aurait-il même osé tuer sa mère si celle-ci ne lui avait tendu l'arme ? Or, avant et après lui, ce sont les femmes qui assurent la continuité. En témoignent la présence de la fille de Leïla (et donc d'Alcide) à son chevet de mourant et, surtout, la série de clichés photographiques de la séquence finale : ces clichés suggèrent évidemment que la relève est assurée par sa fille Claire Premier, photographe et héritière du trône. Par ailleurs Moïse, on le sait, accomplit son geste au nom de sa mère Judith, celle que « les gens... disent folle » parce qu'elle vit « sans cesse les espoirs, les douleurs, les joies asphyxiantes du passé » (IV, 1), le passé glorieux du clan Roberge.

Si, autour de Catherine Ragone, la famille « royale » semble s'inscrire (parodiquement) dans toute la tradition culturelle occidentale, le clan Roberge évoque des résonances beaucoup plus familières et familiales, étonnamment proches des Belles-Sœurs et de l'univers de Michel Tremblay. Emma et Judith prétendent s'acharner sur Catherine

---

11. « Conformément à la légende de ses pieds percés et ligotés lors de l'exposition de l'enfant, le mot οἰδιπους signifie 'aux pieds enflés' », nous apprend Pierre Chantraine (*Dictionnaire étymologique de la langue grecque*, Klincksieck, 1974, s.v., p. 780). Entre l'image d'Œdipe enfant, les pieds entravés et celle de Richard portant sa chaussure orthopédique dès la naissance, le parallèle est frappant. Même s'il tue sa mère plutôt que son père, Richard n'en éprouve pas moins un attachement évidemment « œdipien ».

parce que celle-ci aurait provoqué la mort de leur sœur Angela — l'ange qui n'aurait pas supporté d'avoir engendré un démon! En fait, c'est l'envie et la jalousie qui les motivent, voyant avec quelle facilité leur nièce assure son pouvoir, tout comme les «belles-sœurs» ne peuvent tolérer que Germaine Lauzon profite seule d'un avantage qui leur échappe. Dans l'un et l'autre cas, l'envie est d'ailleurs l'envers de l'impuissance; la plus déterminée des deux sœurs n'est-elle pas, du reste, Madame Roberge à qui Judith reprochera (voir II, 2) de ne pas avoir eu d'enfants? Deux fois mariée, Madame Roberge se réjouit à la fois d'avoir enterré deux maris et que ses enfants soient «tous crevés dans [son] ventre». Curieusement, pourtant, elle ne peut tolérer que Catherine porte le nom d'une famille étrangère et elle se tue — littéralement — à tenter d'assurer la survie de la famille Roberge. Par ailleurs, les deux sœurs présentent tout l'éventail de la morale puritaine qu'on trouve dans les Belles-Sœurs, *depuis la transgression dans la débauche que représente Pierrette Guérin jusqu'à la pruderie de Rhéauna Bibeau et d'Angélique Sauvé. Madame Roberge censure, obsédée par le «vice Ragone»: mère stérile, mais non moins castratrice. Judith, par ailleurs, a chanté au Café Spartacus comme Carmen chante sur la «Main» et se laisse faire un enfant qu'elle cachera ensuite par honte, avant de se marier à un ministre protestant: pécheresse repentie comme la Judith biblique, complice de Madame Roberge et tantôt sa rivale, elle sombre enfin dans une mystérieuse folie qui en fait une sorte de ménade. Et dans ce clan de femmes qui doivent assurer seules la descendance du «roi d'Abitibi», peut-être héritières de problématiques mines d'or, même Angela évoque à sa manière l'univers de Tremblay, puisque, le jour de sa mort, «elle est montée dans son char et elle s'est jetée sur un mur de pierres» (II, 8): tout comme Marie-Lou qui, elle, répondait au désir de son mari Léopold.*

D'autres recoupements s'imposent avec la littérature québécoise récente, certains anecdotiques, d'autres plus flous ou, au contraire, plus profonds. Les enfants sont à la fois purs et pervers, incestueux comme chez Ducharme ou Marie-Claire Blais. La prédominance du sexe, du cul est hautement confirmée, à tous les âges de cycle du Roi Boiteux. *La différence tient ici à ce que la sexualité est joyeuse, généralement vécue sans entraves ni complexes, contrairement à la tradition établie*[12].

Comme chez Tremblay — et aussi paradoxalement, puisqu'elles semblent souvent reléguées à leurs rôles traditionnels[13] *— le pouvoir revient finalement aux femmes et la force des hommes est toujours violente, primitive, plus fanfaronne qu'efficace: le seul roi de cette œuvre n'est-il pas ce Roy — prononcé à l'anglaise à cause de son père pasteur, mais son règne se pratique à la québécoise — qui*

---

12. Une divergence importante toutefois: l'absence, dans l'œuvre de Ronfard, de l'homosexualité, très présente dans la littérature québécoise contemporaine — comme dans l'histoire des rois et dans la culture méditerranéenne.
13. Les femmes jouissent d'un pouvoir occulte très grand, mais demeurent confinées dans des tâches domestiques («laveuse de caleçons, cuisinière, gardienne du nid»), dans les rôles traditionnels de mère, de prostituée, etc. Les hommes, même s'ils sont impotents (Filippo, Richard), mous (Robert Houle), toujours repliés dans leur univers de mesquineries, «sont ailleurs. À la guerre. Aux champs. Sur les nouveaux chantiers». (III, 2)

règne sur la pègre et les viandes corrompues? Le fils du pasteur dévoré par les cannibales dévore joyeusement ses semblables et fait assassiner Madame Roberge, gardienne de l'héritage du clan. Seule Catherine l'emportera sur lui (VI, 8): lui vivant, Richard n'aurait pu devenir véritablement roi.

Mais c'est par le traitement de l'espace, surtout, que cette œuvre semble rejoindre une thématique québécoise. Pays vaste, ouvert sur d'infinis «pays d'en-haut», l'espace québécois est ambitieux, démesuré. Aussi les constants déplacements, de l'Abitibi à Montréal ou du Québec vers le mythique Azerbaïdjan ou l'Amérique Latine semblent tout naturels: ces Québécois voyagent avec la même aisance que Bérénice Einberg gagnant New York et Israël, avec la même fantaisie que l'héroïne de Ferron sur la chaise du maréchal-ferrant. Vaste conquête des espaces qui ressemble à s'y méprendre aux voyages de la chasse-galerie d'antan. Cet espace est aussi espace-temps, défiant toute chronologie, déréglant tous les fuseaux horaires, englobant jusqu'à l'éternité: celle dont se réclame le Temps (IV, I), et dans laquelle Richard semble se fixer au moment de mourir: «Je suis éternel.»

La dérision est cependant à la mesure des ambitions et l'espace québécois ne s'ouvre démesurément que pour se refermer, pour se replier dans l'exigu. L'espace new-yorkais de Bérénice n'est pas un gratte-ciel, mais une «cage», un «colombarium prismatique», comme la vie des personnages de Tremblay se passe dans un appartement surpeuplé, un café de la «Main», la «cellule» de Marie-Lou et Léopold, comme celle du Galarneau de Jacques Godbout se réduit à son «stand» à hot-dogs. Ici, c'est d'abord au Quartier de l'Arsenal et au Café

Spartacus que se ramène l'espace : un petit quadrilatère de l'Est montréalais d'où tout part et où tout revient. Plus on avance dans le cycle, plus également le « duplex de Varincourt » semble prendre de l'importance, comme lieu d'exil ou de repli. Et c'est à la scène finale que la réduction s'achève, d'autant plus spectaculaire que les personnages sont au sommet de l'Empire State Building. La mort de Richard ne sera alors montrée que sur photos : l'univers du Roi Boiteux se réduit donc, en définitive, aux limites d'un appareil-photo, d'une boîte à images.

*
* *

L'appareil-photo de Claire Premier contient, en fait, tout le cycle du Roi Boiteux : *la scène est une boîte à images et une boîte de Pandore, remplie d'artifices et d'illusions — clichés et négatifs — et qui se donne comme telle. À des scènes sublimes, d'une grande envolée lyrique, succèdent des scènes grotesques, dérisoires ou parodiques. Le rythme est brisé, par les ruptures chronologiques comme par les déplacements dans l'espace. Entre la longueur des trois premières pièces et celle des trois dernières, la disproportion est flagrante. Qu'importe ? Ce désordre, cette anarchie ne sont pas sans rappeler les direc-*

tives du Prologue dans le Soulier de satin[14] *et cela est conforme au projet de Ronfard. L'importance des récitatifs, du chant choral, des grands monologues ainsi que l'utilisation systématique de procédés distanciatoires*[15] *indiquent clairement au spectateur qu'il est au théâtre, qu'à l'image de la vie, de la mort et des passions humaines, le théâtre n'est qu'un jeu, le plus grand sans doute, mais irréel, illusoire.*

La naissance de Richard, en bobettes, juché sur un amas de viandes rouges et sur un char allégorique, avec au pied sa chaussure orthopédique constitue un sommet dérisoire: tant d'invraisemblance provoque l'étonnement, touche au fantastique, comme l'immortalité et la puissance surnaturelle de Filippo Ragone. Toute convention réaliste est donc rejetée, rendue impossible.

C'est dans l'épilogue, dans cette scène de «l'Apocalypse à petit budget», que la boîte à malices découvre tous ses ressorts. Dans cette scène descriptive où Sandy et Freddy érigent une statue à Nelson, où Claire Premier fait sécher des photographies et où Moïse dirige la construction de la cité

---

14. «Il faut que tout ait l'air provisoire, en marche, bâclé, incohérent, improvisé dans l'enthousiasme! Avec des réussites, si possible, de temps en temps, car même dans le désordre il faut éviter la monotonie. L'ordre est le plaisir de la raison: mais le désordre est le délice de l'imagination.»
Paul Claudel, *Œuvres complètes*, tome II, éd. Pléiade, 1956, p. 649.
15. Voir par exemple la scène du maquillage au début de *la Jeunesse* et, à la scène 15 de la même pièce, la réplique de Marie-Jeanne: «Les trois coups peuvent frapper, je sais mon texte.»

moderne, Filippo Ragone, «la potiche, le déchet, l'extraterrestre, le rat-pas-de-queue» est à la cabine de régie et dirige, tel Jupiter dans l'Olympe, toute cette fébrile activité humaine qui prend place au Café Spartacus.

Puis arrive l'apothéose, l'explosion finale, l'anéantissement de tout cet univers : explosion de la statue, de Moïse le justicier bâtard, de Claire Premier la nouvelle reine et de la cabine de régie. Filippo, l'immortel, s'est envolé, évanoui en fumée, comme tout le reste : illusion, vie et mort confondues.

Vanitas vanitatum, omnia vanitas.

Jean-Pierre RONFARD est né en 1919 dans un village du nord de la France. Il acquiert une formation universitaire en linguistique, puis l'agrégation de grammaire.

De 1953 à 1960, il est comédien, animateur de théâtre et professeur en Algérie, en Grèce, au Portugal et en Autriche. En 1960, il est nommé directeur artistique de la section française de l'École nationale de théâtre du Canada.

Jean-Pierre Ronfard a mis en scène de nombreux auteurs étrangers et québécois : Eschyle, Jarry, Ionesco, Schéhadé, Gombrowicz, Arabal, Gauvreau, Ducharme, Barbeau, Vézina et Claing.

Depuis 1975, il est membre du Théâtre expérimental de Montréal (plus de vingt créations).

L'écriture de ces pièces n'a été possible que grâce à la collaboration, l'attention constante et l'amitié de Robert Claing, Robert Gravel et Anne-Marie Provencher, mes complices du Théâtre expérimental de Montréal.

J.P.R.

VIE ET MORT DU ROI BOITEUX

une épopée sanglante et grotesque en six pièces et un épilogue

GÉNÉALOGIE DU ROI BOITEUX

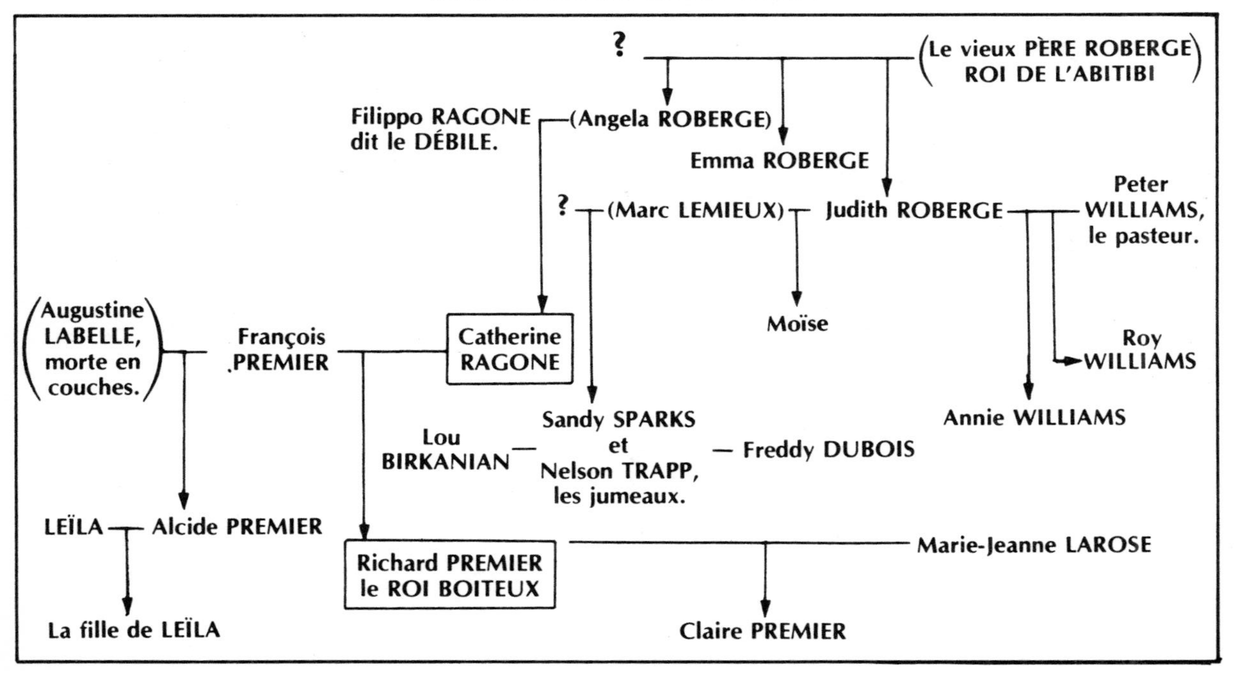

CRÉATION ET DISTRIBUTION

Les trois premières pièces, *la Naissance*, *l'Enfance* et *le Printemps*, ont été créées les 20, 21 et 22 juillet 1981, à l'École nationale de théâtre à Montréal, avec la distribution suivante:

MICHELLE ALLEN .... Augustine Labelle — Papesse Jeanne — Leïla

GUY BEAUSOLEIL .... Moine aveugle — Schwarzenberg — guerrier turc

DANIELLE BERGERON .... Sandy Sparks

ROGER BLAY .... Alcide Premier — armée de François Premier

MOUSSIA CARDINAL .... Lou Birkanian

CLAUDE CHAMBERLAN ..... Prince Ambrosio — 2e messager — pilote — guerrier turc

ROBERT CLAING .... Larbi — 4e messager — guerrier turc — armée de François Premier

JOHN GARDENER .... Jardinier

RÉGIS GAUTHIER .... Sigmund — 1er messager — Roy Williams

ROBERT GRAVEL .... Richard Premier — armée de François Premier

DIANE MILJOURS .... Angela — 3e messagère — femme d'Alcide

GINETTE MORIN .... Judith Williams née Roberge

LUC MORISSETTE .... François Premier — guerrier turc

DOMINIC PHILIE ....Nelson Trapp — guerrier turc — armée de François Premier

DANIELLE PROULX ....Marie-Jeanne Larose

ANNE-MARIE PROVENCHER ...Marilyn Monroe — Annie Williams

JEAN-PIERRE RONFARD ......Guerrier turc — armée de François Premier

CHRISTIAN SAINT-DENIS .....Robert Houle — armée de François Premier — guerrier turc

JANOU SAINT-DENIS ....Madame Roberge

PAUL SAVOIE ....Filippo Ragone

MARTHE TURGEON ....Catherine Ragone

ALAIN ZOUVI ....Freddy Dubois

Décors, costumes, éclairages: La troupe

Administration: Gilles Renaud

Univers sonore: Joël Bienvenue

Mise en scène: Jean-Pierre Ronfard

Le spectacle Vie et mort du Roi Boiteux *devrait toujours être réalisé dans son ampleur.*

Soit sous la forme d'un théâtre-feuilleton : une pièce chaque jour de la semaine (et un jour de relâche).

Soit au cours d'énormes journées de théâtre (de neuf heures du matin à minuit) durant lesquelles on jouerait les six pièces plus l'épilogue ; journées entrecoupées de pauses, repas, intermèdes et divertissements de tous ordres.

Il serait bien que l'environnement visuel et sonore, l'ambiance générale de la représentation, le style de jeu, soient incohérents, anarchiques, barbares, éloignés autant que possible des traditions de sagesse et de respect qui entourent généralement l'acte théâtral — et qui l'étouffent.

PROLOGUE

LA HORDE

On entend, venant de loin, un chant de halage (style cosaque du Don, mélangé de *Carmina Burana,* avec un zeste de musique orthodoxe et des gongs chinois ; ne pas s'interdire non plus une pointe de King Creamson ou de musique folklorique).

Entre la horde humaine tirant, ou retenant avec des câbles, une roue de fortune horizontale sur laquelle est écartelé un corps d'homme nu, la tête recouverte d'un sac à marché. Le socle de cette roue est monté sur roulettes. Le cadre de la roue porte six inscriptions qui l'entourent : LA NAISSANCE, L'ENFANCE, LE PRINTEMPS, LA JEUNESSE, LES VOYAGES, LA CITÉ.

La horde est composée d'une quinzaine de personnages hétéroclites parmi lesquels il y a obligatoirement un moine aveugle et possiblement une geisha japonaise, une clocharde de la rue Saint-Denis, un bûcheron québécois, un Écossais, un hari-krishna, une dame distinguée, un homme-grenouille, un gérant de banque avec son *suit-case,* un travesti, une baigneuse, une végétarienne, une garde-malade, un agent de sécurité, un guerrier romain, une dame du moyen-âge avec son hennin, un marquis du XVIIe siècle, Robespierre, l'Ayatollah Khomeiny, Golda Meir, un cosmonaute, un Arabe, l'Apollon du Belvedère, Mona Lisa ou la Liberté sur les barricades de Delacroix, quelques enfants, quelques animaux domestiques...

Tous ces gens ont la bouche grande ouverte. Ils tirent leur fardeau. La roue se place après plusieurs tours de procession au centre de l'espace de jeu.

Le moine aveugle fait tourner la roue dans le silence. La main droite du torturé, recouverte d'un gant blanc, s'arrête sur un titre. Les 15 membres de la horde fixent avec une lampe de poche le titre désigné. Par exemple : LA NAISSANCE. Le moine aveugle proclame : « la naissance du Roi Boiteux ».

La musique chorale reprend à toutes forces, la horde s'en va en emportant son chargement. On entend longtemps cette musique s'éloigner.

Ce prologue sera joué avant chacune des pièces de *Vie et mort du Roi Boiteux* lorsqu'on les donne séparément.

Traduire le prologue

I

LA NAISSANCE DU ROI BOITEUX

Où l'on évoque l'accouplement de François Premier et de Catherine Ragone et ce qui en résultera.

Où Lou Birkanian raconte aux jumeaux, Sandy Sparks et Nelson Trapp, de terribles histoires.

Où l'on assiste au début de l'expédition guerrière de François Premier en Azerbaïdjan.

Où l'on découvre le double jeu de Filippo Ragone, père de Catherine.

Où Robert Houle et Freddy Dubois préparent leur tournée d'Halloween.

Où François Premier, en Azerbaïdjan reçoit la visite de la Papesse Jeanne.

Où Judith Roberge, mère de Roy et Annie Williams, se révèle être également la mère d'un enfant qu'elle abandonna jadis, dans une chaloupe, sur le fleuve, Moïse.

Où Alcide Premier, premier fils de François Premier, part pour conquérir le monde après avoir épousé Marie-Jeanne Larose.

Où Catherine Ragone enceinte rêve que son fils sera le roi.

Où François Premier meurt de soif et d'épuisement au sommet du mont Ararat.

Où Catherine Ragone accouche d'un enfant boiteux: Richard.

1

Lou Birkanian entre portant une boule de verre. Elle la pose au sol. Elle la recouvre de ses jupes et s'accroupit comme pour couver son œuf. Elle commence par glousser puis elle chante une chanson barbare. Entre François Premier.

FRANÇOIS PREMIER

Lou Birkanian. Lou Birkanian!

LOU BIRKANIAN

Ah, tu es là. Je t'attendais, François Premier. Qu'est-ce que tu veux savoir?

FRANÇOIS PREMIER

Mon destin.

LOU BIRKANIAN

Il est là, tout chaud.

Elle se remet à glousser, puis dégage la boule.

FRANÇOIS PREMIER

Qu'est-ce tu vois?

LOU BIRKANIAN

Je vois une vie, mais ce n'est pas la tienne.
Je vois une ombre, mais ce n'est pas la tienne.
Je vois une mort, mais c'est celle de tout le monde.

FRANÇOIS PREMIER

La mort des autres, je m'en sacre. Ma mort à

moi. Ma mort. Tu la vois? Réponds, Lou. Je pars demain pour la guerre.

LOU BIRKANIAN

Aucun être vivant ne te donnera la mort.

FRANÇOIS PREMIER

Bon. Pas pire, ton oracle. Je pars tranquille.

LOU BIRKANIAN

Pars donc tranquille, François Premier. Sans crainte et sans douleurs.

Ils sortent.

Grandeur/petitesse

2

Entrent Madame Roberge, Filippo Ragone, Catherine Ragone.

MADAME ROBERGE

Sans douleurs. Sans douleurs. Arrêtez-moi la romance. Sans douleurs. C'est ce qu'on dit! Ce qu'on écrit même au fronton des cliniques spécialisées et dans les réclames des praticiens à la mode! Sans douleurs. Jamais! Pas vrai! En plein dans l'os, dans la fibre, dans l'œuf! Au centre de tout, la douleur! Dans le bas-ventre au confluent de la merde et de la pisse et des liqueurs troubles. La douleur, pointe du couteau, tranchant du rasoir! Douleur de nuit débouchant au petit matin, bouillonnement de la lave dans tous les canaux volcaniques; secousse sismique, le n° 7 à l'échelle de Richter; éclatement des veines boursouflées; déchirure des muscles; délabrement des assises; écartèlement des lames de glace emportées par la débâcle du printemps; déversement d'immondices, de mottons brenneux, d'aliments mal digérés, de fibres sanguinolentes. Et qui nage dans la fiente? Le poisson des grandes profondeurs. Il cherche son souffle dans les bulles du brouet en fermentation; le têtard nu s'agite parmi les lambeaux de son sac en plastique. Et pour lui ça commence. C'est la grande douleur, la première de toutes, celle qui poigne au creux des bronches vierges. Elles se décollent en brûlant. Dans les yeux foudroyés. Dans la colonne qui détend son fouet. Douleur dans les mains crochues battant l'air gelé, le nez, la bouche, la gorge, les oreilles éclatées par le tonnerre du monde. Tous les trous qui souffrent dans les spasmes.

Jamais sans douleur la percée vers ailleurs. Anesthésie locale? Ah, ah, sans doute. Oui, j'en veux. J'en veux, grands dieux, cibole de cul. Anesthésie! Ne pas sentir la dent qui mord. Piqûre dans la bedaine engénise, le pied gangrené, le panaris total! Pourquoi pas? Parlons-en! Anesthésie généralisée: la glace te prend, elle endort la révolte. Seule demeure, avant le grand saut en chute libre, la sensation du cœur qui bat la charge, qui continuera à battre douloureusement faisant fondre la glace tout autour.

Vas-y donc Catarina, Catherine, ma catuche, ma catin, va chercher ton François. Mais c'est Richard que tu trouveras. Ton Richard à venir — le programme se déclenche. Ton Richard, ta richesse, la seule que tu propulses entre tes cuisses tendues serrées au moment où le pilon rouge écrase le piment dans le mortier et que le jus acide se répand, rigole, riboule dans tes replis défoncés. Jouis! La douleur est déjà là. Sois attentive, Catou, mon cœur, ma haine, reconnais la douleur, maille étroite dans le tissu du plaisir, aiguille dans la pêche sucrée. La douleur creuse son sillon, remue les mottes, couvre la graine en fumant, la douleur se déploie et fait, de joie, crever les bourgeons. La douleur pète, dans les hurlements du plaisir. Le proutt enfoiré, la vesse hideuse, la déflagration. Jouis, salope, jouis, cochonne. Jouis, la brute, laboure de ton dard minuscule le champ fertile où ta douleur prend souche.

CATHERINE

Va-t'en te coucher, Madame Roberge. Puta la rabia madre mia de ma mierda! Shit à la fin!

MADAME ROBERGE

Et parle-moi pas arabe, rénégate, relapse. Oublie pas que tu es une Roberge, toi aussi!

CATHERINE

Je ne suis pas une Roberge. Je suis Ragone. Mon père se nomme Filippo Ragone.

FILIPPO RAGONE

Yeh!

MADAME ROBERGE

Un déchet. Un débris. Un impotent depuis toujours.

FILIPPO RAGONE

Yeh!

MADAME ROBERGE

Filippo Ragone! Le rat-pas-de-queue! S'il t'avait engendrée, il n'y aurait pas de quoi t'en vanter! Mais même pas! Filippo Ragone existe pas. Jamais, au grand jamais, Filippo Ragone n'a été capable de planter son clou dans une motte de beurre.

FILIPPO RAGONE, *hilare*

Yeh!

MADAME ROBERGE

C'est le vent de la rue qui a engrossé ta mère, Angela, ma sœur. Et Angela était Roberge. Le vent de la rue n'a pas de nom!

CATHERINE

Je suis donc fille du vent. Et le vent qui a gonflé la cloque dont je suis née, le vent du sud n'a qu'un nom: Ragone! Il rage dans les ruelles. Il racole les graines en cavalcade. C'est le grand go Ragone. Les gorgones dévergondées le dégorgent à gogo de tous leurs gosiers. C'est le vent bâtard d'Aragon qui redresse les épis couchés par l'âge et l'ennui et la gangrène du passé. Oui, je suis Ragone et je fais à mon Richard, mon tout doux, mon enfant à naître le premier don inimitable, le plus beau, l'étrenne de fête qui le précède et qui l'appelle : mon plaisir ! Je lui donne mon plaisir. C'est mon premier cadeau !

Entre François Premier en caleçon.

FRANÇOIS PREMIER

Moins de parlage, bébé, viens-t'en au lit. Demain matin, je pars pour Trébizonde !

FILIPPO RAGONE

Yeh !

CATHERINE

Exigeant, capricieux, puéril, prétentieux, aveugle, voilà l'homme que moi, Catherine Ragone, j'ai pris. Mon geyser, mon pilier, ma dalle de béton, je n'en demandais pas davantage.

FRANÇOIS PREMIER

Arrête tes farces. Lâche-moi toutes tes folleries. Viens-t'en. Donne-moi la main.

CATHERINE

Oui ma main et tout ce qui vient avec. Je te donne tout ça, François Premier, mais rien que ça. Ma peau qui tremble, mes tendons qui se crispent, mes muqueuses qui jutent, la force de mes jarrets arc-boutés au mur, la mollesse de mes seins avec le bout du téton qui pointe sous l'ongle agaçant, mes yeux qui vont virer dans le vague et les soubresauts anarchiques de mon périnée, mon présent, ma volonté, mes désirs, le vent de mon passé. Tout ce qui a nom : Catherine Ragone. Mais mon plaisir, non ! mon plaisir, à la crête de la vague, l'instant-vertige avant le grand déferlement, la plongée dans l'immémorial, mon plaisir, toutes les stridences de mon être catapulté, mon plaisir, François Premier, mon plaisir n'est pas pour toi. C'est le flambeau que j'allume au berceau de ma géniture. Mon plaisir est pour le fils que je ferai germer de ton plaisir éjaculé. Mon plaisir est pour Richard. C'est la couronne que je dépose sur ses fontanelles déplumées. Et maintenant, allons, croulons ensemble dans l'ouragan Ragone.

FRANÇOIS PREMIER

Ça va faire. M'as t'enculer ma maudite !

CATHERINE

Jamais !

Ils sortent, suivis de Filippo Ragone qui s'amuse beaucoup.

MADAME ROBERGE

Erreur détestable. Je proclame la trahison. Le sang des Ragone l'emporte momentanément. Je vois s'ébranler le cycle des catastrophes qui entoureront le règne de Richard. Je vois les cieux foudroyés. Je vois les spectres sortant des tombes dans les cimetières calvinistes. J'entends les oiseaux de nuit qui hululent. Ils arrachent les écailles de la lune. Je sens l'odeur du soufre qui envahit les ports de la mer Caspienne et je discerne dans le brouillard les crapauds qui s'introduisent sous les jupes des filles de Sainte-Marie. Je prédis les continents déchirés amorçant leurs dérives et, venant des deux pôles, les icebergs qui se déchaînent contre la coque blindée du *Titanic*. J'entends le grand, l'énorme, le monstrueux éclatement de la bombe unique. J'entends rugir à hurle-tête l'immense silence de la mort.

Elle sort.

3

Dans une plaine d'Azerbaïdjan. Deux guetteurs.

LARBI

Quand est-ce qu'ils vont nous l'envoyer, leur maudit signal ?

SIGMUND

Tu es donc bien pressé, camarade ? Moi, plus ça dure, plus ça me va. On est payé à journée. Douze dinars par jour, on crache pas dessus.

LARBI

Ma femme est à veille d'accoucher.

SIGMUND

A pas besoin de toi pour faire l'affaire.

LARBI

J'aimerais ça être près d'elle.

SIGMUND

C'est ton premier ?

LARBI

Oui.

SIGMUND

O.K., la première fois, ça fait de quoi. J'en ai eu huit. Ça fait que pour moi, y a plus de surprise. C'est toujours pareil. Puis j'aime pas voir ça. C'est une histoire de femmes. Elles sont mieux entre elles quand ça arrive : La vieille Gudrun quand elle aide une femme à accoucher, elle dit toujours : « Dehors les hommes pendant que je travaille, fourrez dans rue mais fourrez-vous pas dans mes pattes. » *(Il rit.)*

LARBI

Regarde, c'est le signal ? Les torches !

SIGMUND

Eh non ! C'est Mustapha qui rassemble son troupeau. Après-demain, c'est jour de marché à Tabriz, il va partir bientôt.

LARBI

Tu crois qu'il aura le temps d'arriver à Tabriz ?

SIGMUND

Ça dépend. C'est comme ta femme. Mustapha, puis ta femme ils se crissent pas mal de ce qui se passe dans le monde. Ils ont chacun leur business, lui son troupeau, puis elle, son petit. La guerre, c'est pas leur job.

LARBI

Tu crois qu'il va y avoir la guerre ?

SIGMUND

On est payé pour ça, non ?

LARBI

Tous mes frères sont morts au dernier soulèvement.

SIGMUND

C'est la vie.

LARBI

Je pense pas.

SIGMUND

Tu raisonnes trop, camarade. Nous, on n'est pas là pour raisonner. T'empoches tes douze dinars par jour. C'est la paie régulière. Mais quand ça va partir, on aura tous les à-côtés...

LARBI

Qu'est-ce tu veux dire?

SIGMUND

Ben, les à-côtés, ce qu'on récupère sur l'ennemi, ça peut aller chercher gros.

LARBI

Je voudrais pas que ma femme accouche toute seule.

SIGMUND

Vas-y donc, va la retrouver, le jour se lève. On recevra plus le signal aujourd'hui. Je dirai que je t'ai envoyé surveiller le pont. Cours chez toi, mon camarade, y a ta p'tite femme qui va pondre sa côtelette.

LARBI

Merci. À demain.

On aperçoit venant de la montagne d'en face des appels lumineux.

SIGMUND

Arrête! C'est le signal. Ils ont débarqué. Tu sais ce que tu as à faire. Tu vas au dépôt, tu organises la distribution. Deux hommes de Kemal vont venir te rejoindre. Moi je pars pour Ardebil. Dis à tout le monde que François Premier est arrivé et que cette fois ça part en grande. Salut! *(Il sort.)*

LARBI

Salut! *(Il sort.)*

4

Entrent Lou Birkanian et les deux jumeaux, Nelson et Sandy.

LOU BIRKANIAN

Heïe les jumeaux! Pourquoi vous allez pas jouer dans la cour des Larose? Qu'est-ce que vous avez donc à me coller comme des mouches à miel? Qu'est-ce que vous voulez encore, hein?

NELSON

Mamette, raconte-nous une histoire.

SANDY

Oh! oui, mamette, une histoire.

NELSON

Une histoire vraie.

SANDY

C'est ça, une histoire vraie. Une histoire à toi.

LOU BIRKANIAN

Mes histoires vraies, mes histoires à moi, vous les connaissez toutes par cœur. Ce sont toujours les mêmes.

SANDY

Ça ne fait rien. On aime ça. Raconte pareil.

NELSON

Raconte où tu es née.

SANDY

Puis tu nous tireras les cartes.

LOU BIRKANIAN

Il faudrait savoir ce que vous voulez, les cartes ou les histoires, hein?

SANDY

Les deux ensemble.

LOU BIRKANIAN

Ce n'est pas possible.

NELSON

Une chose après l'autre, si tu aimes mieux ça.

LOU BIRKANIAN

Ce n'est pas possible, ce n'est pas bien.

SANDY

Pourquoi?

LOU BIRKANIAN

Ça se fait pas. L'huile et le vinaigre, ça ne se mélange pas. Hein?

SANDY

Et la vinaigrette? Et la mayonnaise? Tu sais faire ça pourtant!

LOU BIRKANIAN

Regardez-moi le petit brillant! Toujours plus fin que les autres, hein? Avoir toujours le dernier mot, hein? C'est ça que tu veux, mon petit maudit, hein?

Les jumeaux éclatent de rire.

LOU BIRKANIAN

Pourquoi vous riez?

SANDY

Tu t'es trompée. Je ne suis pas Nelson. Je suis Sandy.

LOU BIRKANIAN

Et recommencez pas à vous moquer de moi, hein? Toi, tu veux encore me faire tourner en bourrique, hein? Où est-ce que j'ai mis mes lunettes? Va me chercher mes lunettes.

SANDY

Tâte.

LOU BIRKANIAN *tâte dans la culotte de Sandy*

Bon, d'accord, on peut se tromper. Va me chercher mes lunettes.

SANDY

Tu es vexée, Mamette, hein?

LOU BIRKANIAN

Mes lunettes!

NELSON

Tu n'as pas besoin de lunettes pour nous raconter une histoire.

SANDY

Et pour nous tirer les cartes...

LOU BIRKANIAN

Je n'ai pas mes cartes.

SANDY

Les voici.

LOU BIRKANIAN

Je t'ai déjà dit de ne pas toucher à mes cartes.

NELSON

Mamette, tu as perdu. Tu lui as mis la main dans la culotte. Tu nous dois un gage.

SANDY

Mamette, sois gentille.

NELSON

On t'écoute.

LOU BIRKANIAN

Maudite race, donne-moi mes cartes et arrête de ricaner, hein?

SANDY

Mamette chérie!

LOU BIRKANIAN *chante*

A dora Nigo
Ajnia Voula
Aglich Nougel simariva
Lou vynau ga
Sa maligro

Sur les pentes de l'Elbrouz, le grand volcan qui touche au ciel, il y a un promontoire où les oiseaux du Caucase, chaque année, viennent se reposer avant d'entreprendre leur migration vers le sud. C'est là que je suis née. *Ach! Karakravoy madrega slovin!* Au début, au tout début, c'est l'enfer. Il n'y a que des cris, des bruits d'armes, du feu partout. J'entends encore le grondement des maisons qui brûlent, les cavalcades, les hennissements des chevaux kirghizs dans les rues mal pavées, les commandements en langue barbare, les hurlements joyeux des guerriers quand ils tuent.

Karakravoy madrega slovin ouzbeck! L'enfer en une nuit. Et puis, au matin suivant, au milieu des ruines, dans la ville morte, il y a une petite fille qui pleure. Elle est couverte de sang et de suie. Elle tient au bout de son bras une poupée estropiée. Elle trébuche, elle... mes pauvres chéris, qu'est-ce que vous me faites raconter là!

SANDY

Continue.

NELSON

On aime ça. Raconte comment le cosaque a décapité d'un seul coup de sabre trois prisonniers alignés.

SANDY

Raconte comment ils ont brûlé ton grand-père avec du poil de chameau trempé dans la graisse.

NELSON

Et les éclats de vitre dans les yeux du prêtre orthodoxe.

SANDY

Raconte ce qu'ils ont fait aux femmes avec les piquets de clôture et les fils de fer barbelés.

LOU BIRKANIAN, *gémissante*

Giar. giar. giar. Mroguelioun. giar. giaz ango a ma lina.

NELSON

Comment ils ont écrasé l'épicière sous la table de taverne avec des roches de plus en plus lourdes.

SANDY

Et le petit garçon coupé en huit avec la scie du moulin à bois.

NELSON

Et les vautours?

SANDY

Oh oui, les vautours!

LOU BIRKANIAN

Assez, mes tout doux, assez, mes anges.

SANDY

Raconte-nous ta mère, mamette.

NELSON

On aime ça.

LOU BIRKANIAN

Ma mère s'était sauvée en haut du clocher. Elle avait tiré l'échelle derrière elle. Il n'y avait pas d'échelle aussi longue dans toute la ville. Comme ça personne ne pouvait plus monter au clocher. Elle avait mis dans un sac d'avoine mes deux petits frères, pêle-mêle. Elle avait aussi un couteau de cuisine. Un barbare l'a aperçue. Il a tiré sur elle. Les cloches se sont mises à sonner. L'escadron de la mort s'est rassemblé au bas de la tour. Ils ont tous tiré sur le clocher. Les cloches ont sonné de plus belle, mais ils ne pouvaient pas monter. Alors ils ont apporté de la paille et des meubles et ils ont mis le feu; quand les flammes se sont élevées jusqu'à mi-hauteur, ma mère a sorti les enfants du sac d'avoine. Avec son couteau de cuisine, elle les a égorgés. Et elle les a tenus par un pied, un de chaque côté. Les soldats ont arrêté de tirer. Ma mère leur a crié: «C'est moi qui les ai tués, c'est moi qui les ai tués, *Arak ema si lem!*» Elle a jeté ses enfants dans le feu. Ensuite, elle s'est mise nue. Elle a pris son couteau de cuisine à deux mains, elle a appuyé la pointe en bas contre ses poils, le tranchant de la lame tourné vers le haut, et puis d'un seul coup, comme elle faisait avec les poissons, elle a ouvert son ventre. Ses entrailles se sont répandues dans le brasier. Quand elle est tombée, on a entendu son cri dans toute la ville. Elle appelait sa mère.

NELSON

C'est une belle histoire, mamette.

SANDY

Oui c'est une belle histoire.

LOU BIRKANIAN *étale les cartes devant elle, elle les retournera l'une après l'autre*

Maintenant, les cartes. La roue vénitienne.

Qui te la donne?
Qui te la prend?
Repos au paradis.
Délivrance en enfer.

SANDY

Ça veut dire quoi?

LOU BIRKANIAN

Le hasard qui tourne sur lui-même. Période d'incertitude, tout est possible. Mais rien n'est sûr. Le destin n'est pas encore fermé. Le mois qui vient sera plein de changements. Éviter de prendre des décisions irréparables.

NELSON

Une autre!

LOU BIRKANIAN

Le roi de gloire!

Ni trop tôt, ni trop tard.
Ce qu'il faut dire, ce qu'il faut faire,
tous les mendiants s'en vont aux champs.

Ça, c'est la puissance, en seconde position. Assez fort pour faire tourner la grande roue, pas assez pour l'arrêter.

NELSON et SANDY

Une autre!

LOU BIRKANIAN

Attention, ça devient plus grave, c'est le premier triangle.

SANDY

Vas-y, mamette. Aie pas peur.

LOU BIRKANIAN

Le messager!

À midi, le pari.
Au matin, le chagrin.
Au soir, l'espoir.

NELSON

Ça veut rien dire.

LOU BIRKANIAN

Attends! Le messager apporte la quatrième. Un, deux, trois, quatre.

SANDY

Retourne.

LOU BIRKANIAN

La vierge folle!

L'œil de mon ventre me partage
Au-dessus la raison m'éclaire
Au-dessous tout n'est que ténèbres.

Eh bien mes mignons, vous n'allez pas vous ennuyer. Toujours à courir après le grand ahan, hein ? Toujours en chasse, jamais satisfaits, impatients, vautrés dans la chiennerie. Pouliche mouillée, bouc en délire, incapable d'apaiser la bête. Pourquoi donc, bons dieux de bons dieux ? Pour quoi ? Pour chercher quoi ? Ah je le savais, je le savais bien, je l'ai vu dès que je vous ai eus sur les bras. Déjà dans le lit d'enfant, déjà dans les draps roses, c'était la vierge folle qui vous affolait hein ? Ah *ouatch barakrava sibbek*. Arrive ce qui doit arriver. Allez-y donc, forniquez, ça prolonge, ça fait du bien au cœur, ça fouette les sangs. Forniquez comme des diables.

SANDY

Qu'est-ce que tu veux dire ?

LOU BIRKANIAN

Fais pas l'innocente.

SANDY

Qu'est-ce que tu veux dire ?

LOU BIRKANIAN

Tu le sauras bien assez tôt.

NELSON

Taisez-vous toutes les deux. Tires-en une autre.

LOU BIRKANIAN

Les deux tours ! La vierge folle amène les deux tours, eh bien c'est du propre ! Un maquereau ! Une putain !

SANDY

Qu'est-ce que ça veut dire ?

LOU BIRKANIAN

Ça veut dire que, dans le mois qui vient, tu vas me faire le plaisir de rentrer de l'école tout droit à la maison. Et toi je te défends de jouer avec les Williams. J'aime pas cette grande asperge de Roy. J'ai appris ce qu'il fait avec les chats.

NELSON

Mamette, tu crois tout ce qu'on dit sur lui.

LOU BIRKANIAN

Je sais ce que je sais. Et sa sœur Annie, elle vaut guère mieux.

SANDY

Mamette, ne t'excite pas comme ça, elles ne sont pas drôles, tes cartes.

LOU BIRKANIAN

Les cartes ne sont pas faites pour être drôles. C'est des avertissements. Alors, moi je vous avertis, hein ? Je veux plus vous voir avec les Williams. Compris, hein ? Et puis ça suffit comme ça, on arrête là les cartes.

NELSON

Encore une !

LOU BIRKANIAN

Non, je vous avertis, compris ? Fini les Williams, hein ?

SANDY

Encore une, mamette, la dernière, et on sera avertis.

LOU BIRKANIAN

Bon, et toi, tu as compris ? Je t'avertis, hein ?

NELSON

Mamette, chicane-moi pas. Encore une carte et je serai averti.

LOU BIRKANIAN

Bon, la dernière. *(Elle retourne la carte et brouille le jeu.)* Bon, c'est fini.

NELSON

Pourquoi tu fais ça? Pourquoi tu brouilles les cartes?

LOU BIRKANIAN

J'ai mal retourné, ça fausse tout. Allez vous préparer, on va rendre visite aux Larose. Dépêchez-vous de vous laver les mains. Sandy, tu te peigneras et tu mettras un nœud dans tes cheveux.

NELSON

Moi, c'est pas Sandy, c'est Nelson.

LOU BIRKANIAN

Menteuse, mes lunettes! Vous m'avez caché mes lunettes.

NELSON

Tâte!

LOU BIRKANIAN *tâte dans la culotte de Nelson*

Bon, c'est toi Nelson, d'accord, dépêchez-vous je vous attends dans la voiture.

Elle sort.

SANDY

Pourquoi elle n'a pas voulu nous expliquer la dernière carte?

NELSON

Elle est folle.

SANDY

C'était quoi, la dernière carte?

NELSON

Le moine aveugle.

SANDY

C'est pour cela qu'elle a arrêté?

NELSON

Je ne sais pas. Elle est folle.

Ils sortent.

5

À bord d'un hélicoptère du côté de la péninsule d'Apchéron. Entrent François Premier et le pilote.

FRANÇOIS PREMIER

Où sont mes troupes? le détachement du Prince Ambrosio devrait avoir déjà débarqué dans le port. Ne descends pas tout de suite — Cette colonne de poussière venant du fleuve Araxe, ce sont nos supplétifs baloutches et les montagnards géorgiens. Envoye, vole vers eux. *(Il manipule son appareil de radio.)* Alexandre appelle Iberville. Alexandre appelle Iberville. Maudit, leur machine de marde est encore toute fuckée. Ici, Alexandre, ici Alexandre... Alexandre appelle Macédoine, Alexandre appelle Saint-Jean d'Acre. Alexandre appelle Ecbatane, Alexandre appelle Samarkand. Et voici les chars de guerre d'Artaxerxès qui débouchent dans la plaine. Et Schwarzenberg, là-bas, avec les hussards de la mort. Tout va bien, la nasse se referme, la victoire est à nous. Tu peux descendre maintenant. Pose-toi sur ce promontoire. Ici Alexandre, ici Alexandre... Maudite mécanique! Descends toujours: nous y sommes. *(À la radio.)* À toutes nos unités, c'est François Premier qui parle: Camarades de combat, la première phase de notre expédition est un succès total. L'ennemi est pris au piège. Il ne reste plus qu'à l'exterminer. Faites donner les grandes orgues. Au carnage, pour la défense de l'humanité. *(Le pilote meurt.)* Qu'est-ce c'est ça, qu'est-ce qui t'arrive?

(Il retourne le corps du pilote transpercé d'une flèche.) ...La flèche du Parthe !

Il saute sur les commandes de l'hélicoptère et sort.

6

Entre Filippo Ragone dans sa chaise.

FILIPPO RAGONE

Ils me prennent tous pour un débile. Ils ont peut-être raison. J'ai l'âge pour ça. En tout cas, ça m'arrange qu'ils le croient : plus obligé de leur tenir tête. Plus obligé d'être fier. Je suis le déchet, l'extra-terrestre. Un déchet a pas à être fier. Ma fierté je la garde là-dedans à l'intérieur. Et là-dedans, à l'intérieur, je suis satisfait. Ils s'agitent. Ils se haïssent. Ils se battent à mort. Moi je m'amuse à les voir aller et je me souviens. Yeh !

Je les vois tous, Lou Birkanian, la bonne âme, encombrée des deux jumeaux de Marc Lemieux, la magicienne qu'on appelle au palais dans les grandes occasions, Yeh ! Et qui vous fait des prophéties, Yeh ! la princesse arménienne. Yeh ! la nourrice ! Et François Premier, aïe, aïe, aïe, mon gendre, aïe, aïe, aïe c'est trop comique ; ça a pas de bon sens. Il va me faire mourir de rire. Il se prend pour un autre. Il dirige ses armées aux frontières, il croit qu'il les dirige, ce sont elles qui le tirent en avant. Il finira par pourrir comme tout le monde. Dans le bourbier ; ou sur la montagne ; quand on meurt c'est toujours le bourbier, Yeh !

Et les sœurs Roberge, Judith, Emma la salope, Yeh ! Elles m'ont jamais pardonné de leur avoir pris leur Angela, leur aînée, leur modèle. Leur modèle ! Fermez-vous donc les sœurs Roberge ! Fermez-vous, Judith la putain, Emma la salope, vous m'avez assez bavé. Votre Angela, la princesse d'Abitibi par son père, le vieux comte Roberge assis sur ses mines d'or, votre Angela je sais ce qu'elle était, je sais ce qui se passe quand tu cries pour de vrai, quand tu peux pas faire semblant; dans le plaisir ou dans la douleur. C'est la même chose d'abord! J'avais trente ans de plus qu'elle et qu'est-ce que ça peut faire? Elle est morte. Je suis plus jeune qu'elle. Je sais ce que tu étais, Angela, et pourtant j'ai rien compris.

Angela, pourquoi t'as fait ça? Qu'est-ce qui t'a pris? C'est Catherine qui t'a fait peur? Le tourbillon Ragone? Catherine était à moi, elle continue ma race. La jalousie? Toi, la douce Angela, jalouse de Catherine? Pourquoi t'as fait ça? Pourquoi t'as écrasé ta machine sur le mur de pierre? Pour me punir? De quoi? D'avoir engendré cette boule de feu qui me ressemble? Alors il fallait pas entrer dans la maison Ragone. Il fallait rester dans ton domaine à soigner les plaies du vieux Père Roberge. Douce, trop douce Angela, que dis-tu maintenant la bouche remplie de feuilles mortes? Les morts ne gagnent jamais. Et moi, je vis. Mais, silence, des gens viennent, le vieux Filippo remet son masque, le rat-pas-de-queue bave et sourit niaiseusement à toutes vos niaiseries. Le père indigne jouit de vos indignités. Yeh!

Il sort dans sa chaise roulante.

7

Entrent Alfred Dubois et Robert Houle. Ils portent des têtes-citrouilles d'Halloween et tiennent des déguisements à la main. Ils ont environ dix ans.

FREDDY

Robert!

ROBERT HOULE

Qu'est-ce t'as, le moron? Qu'est-ce qui te chicote, niaiseux?

FREDDY

Où c'est qu'on va astheure?

ROBERT HOULE

C'est ben simple, on va faire le tour du monde.

FREDDY

Chez qui on commence?

ROBERT HOULE

Chez les Larose.

FREDDY

T'es sûr qu'ils vont pas nous reconnaître?

ROBERT HOULE

Certain, mets-toi une guenille sur le dos, puis grouille pas. Si tu dis pas un mot, ils sauront pas que c'est nous.

FREDDY

O.K. d'abord. Puis après?

ROBERT HOULE

Après, on ira chez les Williams.

FREDDY

Roy va nous battre.

ROBERT HOULE

Non, je l'ai vu passer par en arrière avec son sac. Il est parti chez le Chinois.

FREDDY

Puis après?

ROBERT HOULE

Après on ira chez les Premier. Ils ont de quoi. François Premier est à la guerre.

FREDDY

J'aime ça chez eux.

ROBERT HOULE

Les Premier?

FREDDY

Ouan!

ROBERT HOULE

Il paraît que madame Premier, elle va avoir un bébé.

FREDDY

Comment tu sais ça?

ROBERT HOULE

C'est mon père qui l'a dit.

FREDDY

Qu'est-ce qu'il a dit?

ROBERT HOULE

Il a dit: «Catherine Ragone, elle s'est faite fourrer en premier, elle est grosse en deuxième et en troisième, elle sera bien plate.» *(Il rit.)*

FREDDY

Qu'est-ce qu'il y a de comique?

ROBERT HOULE

Elle s'est faite fourrer en premier. Tu comprends pas? Catherine Ragone, Madame Premier, tu comprends?

FREDDY

Oh oui... oui!

ROBERT HOULE

Tu trouves pas ça comique?

FREDDY

Ouan... ouan.

ROBERT HOULE

Puis tu ris pas?

FREDDY

Non.

ROBERT HOULE

Tu es donc niaiseux!

FREDDY

Robert...

ROBERT HOULE

Wouan?

FREDDY

Qu'est-ce ça veut dire: fourrer?

ROBERT HOULE

Ça veut dire mettre.

FREDDY

Mettre quoi ?

ROBERT HOULE

Ben, la pissette.

FREDDY

Où ça ?

ROBERT HOULE

Ben, dans le nombril. Tu es donc niaiseux ! *(Il sort un long fume-cigarette et met une cigarette au bout.)*

FREDDY

Qu'est-ce c'est ça ?

ROBERT HOULE

C'est à ma grande sœur.

FREDDY

Tu m'en donnes ?

ROBERT HOULE

Fais attention de pas t'étouffer. Peut-être bien que c'est trop fort pour toi.

Ils fument, toussent, toujours à l'intérieur de leurs casques. Derrière eux une grande fumée s'élève du sol. Au milieu du brouillard passent des personnages fantomatiques. Passe d'abord un moine qui tape sur une cloche. Il est aveugle et porte des lunettes noires. Entrent ensuite Madame Ragone (Angela Roberge) *puis Augustine Labelle* (la première femme de François Premier) *puis Marilyn Monroe.*

FREDDY

Mortes. Elles sont toutes mortes. Il n'y a que des femmes mortes. Toutes les femmes sont mortes. Elles vont au cimetière en procession. Madame Ragone! Angela!

ANGELA *porte un grand vase de porcelaine à la main*

Mon doux! Tu t'en souviens encore! Angela, eh oui Angela, c'est bien mon nom. Tu ne m'as pas oubliée, Alfred. Regarde, le vase n'est pas cassé. Filippo ne te disputera pas. Tout est arrangé, recollé. Il n'y a pas de trace. Oooh, le bruit dans mes oreilles. Il faut que je parte en voyage. Oooh, le moulin, le moulin va trop vite, le moulin, le moulin va trop fort. Oooh, le mur s'approche, la ferraille, la sirène. Oooh, il faut que je parte. Bonne nuit, Alfred. *(Elle sort. Le moine repasse en tapant sa cloche).*

FREDDY

Madame Ragone, partez pas si vite, vous allez faire un accident!

AUGUSTINE LABELLE

Énerve-toi pas, couche-toi, Freddy. Couche-toi là. *(Elle déroule un long drap blanc ouaté.)* Mon petit Alcide va venir, je prépare son lit. Aide-moi, aide-moi, dans deux semaines, il va être là, tu viendras le voir sur la galerie. Aime-moi, aime-moi.

FREDDY

Augustine Labelle!

AUGUSTINE LABELLE

Morte en couches, morte en couches! morte en couches! *(Elle renverse un pot de lait sur son drap de bébé.)*

FREDDY

Les mouches!

AUGUSTINE LABELLE

Laisse faire.

FREDDY

Non. Faites pas ça. Les mouches! Il faut les chasser. François Premier est à la guerre. Il ne reviendra pas, je veux chasser les mouches. Elles tombent dans le lait de misère, j'ai ma tapette.

AUGUSTINE LABELLE

Ne chasse pas les mouches, Freddy, innocent Freddy. Écoute les mouches. Elles chantent. Elles m'accompagnent. À bientôt, mon ami, mon jeune ami.

Elle roule son drap. Elle sort. Le moine aveugle repasse. Entre Marilyn Monroe qui lève la jambe pour ajuster son bas.

MARILYN MONROE

Qu'est-ce que tu regardes?

FREDDY

Rien, rien, je vous promets j'ai rien vu.

MARILYN MONROE

Tu veux voir! Tu veux?

FREDDY

Non, non, non, qu'est-ce que vous pensez... oui!

MARILYN MONROE

Comme chez Robert? Dans la garde-robe?

FREDDY

Oui, Marilyn, comme chez Robert.

MARILYN MONROE

Ouvre les yeux. *(Elle relève sa jupe, on voit une immense fente rose entourée de poils noirs. Elle sourit et sort lentement suivie du moine qui tape sa cloche.)*

FREDDY

Marilyn Monroe!

ROBERT HOULE

Viens-t'en, Freddy. Ça vient tout juste de sonner à l'église. Il est déjà sept heures.

FREDDY

J'aime donc ça la fumée. Ça me fait pleurer. Ça me fait voir des choses!

ROBERT HOULE

Ah ouais! Qu'est-ce que tu vois?

FREDDY

La lune. On ira-tu un jour dans la lune?

ROBERT HOULE

Certain.

FREDDY

Pourquoi tu dis ça?

ROBERT HOULE

Il y a mon père qui a dit: «Dans vingt ans tout le monde ira dans la lune pour leur voyage de noces.» La lune de miel, qu'il a dit. Et il a ri comme un fou.

FREDDY

Pourquoi il a ri?

ROBERT HOULE

Parce que c'est comique. T'es donc niaiseux.

Passe au fond Marie-Jeanne Larose tenant un cierge allumé et portant un casque de lancelot et une épée.

FREDDY

Robert!

ROBERT HOULE

Wouan!

FREDDY

Regarde, Robert, regarde. Elle vient de la lune, tu crois? Elle s'en retourne là-bas?

ROBERT HOULE

Ben non! C'est Marie-Jeanne Larose. Elle fait Jeanne d'Arc à soir mais j'ai promis de pas le dire.

FREDDY

Elle s'en va chez eux?

ROBERT HOULE

Non, elle s'en vient chez nous. Nous, on s'en va chez eux. Mets ta guenille, puis tais-toi. Ils ne nous reconnaîtront pas. Viens-t'en, niaiseux.

Ils sortent.

8

En Turquie. Au pied du mont Ararat. Entre François Premier suivi de son armée. À ses côtés, le comte Von und Zu Schwarzenberg.

FRANÇOIS PREMIER

Nous voici en vue du mont Ararat. Nous monterons au sommet de la montagne et de là, redistribuerons le monde. Schwarzenberg, en reconnaissance de vos services, je compte vous accorder domination sur toute l'Anatolie. Qu'en dites-vous?

SCHWARZENBERG

Majesté, puis-je, avant toute chose, demander à votre Altesse, quand elle daigne m'adresser la parole, de m'accorder les titres et particules qui m'appartiennent? Je ne suis pas Schwarzenberg-cirez-moi-mes-bottes, votre valet, je suis le comte Fonne-ount-Tsou Schwarzenberg, votre serviteur.

Il claque des talons. François Premier éclate de rire.

FRANÇOIS PREMIER

Pointilleux sur les mots, mon cher comte Fonne ount-Tsou. Mais Viarge, Chasuble, Étole et Saint-Chrême! Nous sommes des guerriers, l'épée à la main et la couille au vent. Nous venons d'écraser les armées ottomanes. Nous ne sommes pas des diplomates à la cour de Marie-Thérèse.

SCHWARZENBERG

N'empêche, Sire, j'y tiens.

FRANÇOIS PREMIER

O.K.! O.K.! Fonne-ount-Tsou, O.K.! On va pas se chicaner là-dessus. Que fait Ambrosio?

SCHWARZENBERG

Le Prince Ambrosio est allé chercher le Pape à Rome. Il ne devrait pas tarder à rentrer.

FRANÇOIS PREMIER

Ah, la victoire Schwarzenberg! *(Schwarzenberg tique, à nouveau blessé.)* Comte Fonne-out-Tsou Schwarzenberg! faites-moi pas cette tête-là, O.K.... Je m'excuse!... Qu'est-ce que je disais? Ah oui: la Victoire. C'est bon, la victoire. La délivrance! Pendant longtemps elle germe dans ton ventre. Elle grouille là-dedans comme une colique, informe, incertaine. Tu la nourris sans le vouloir. Pourtant elle est là. À chaque minute tu la sens qui grossit, qui t'alourdit. Tu sens que tu ne peux plus t'en défaire, que tu ne sauras plus marcher ta route avant de l'avoir pondue. Et puis un jour, c'est le temps, elle est mûre, elle se pousse hors de toi avec tous ses couteaux. Elle te déchire au passage, elle naît dans la boue et les hurlements. Elle est devant toi toute nue, toute neuve, ta victoire, ta fille sanglante.

SCHWARZENBERG

Elle ne vous appartient déjà plus.

FRANÇOIS PREMIER

Casseux de party, pisse-froid, éteignoir. Tu ne sauras jamais ce que c'est que le vrai fun, le fun à mort. *(Trompettes.)* Tiens, v'là du monde!

Entrent le Prince Ambrosio et la Papesse Jeanne.

PRINCE AMBROSIO

Sa Sainteté Papale!

FRANÇOIS PREMIER

Heye, qu'est-ce c'est ça? C'est une femme! Il y a queque chose qui est pas correct! Le Pape! Pa/pa! Il Pa/pa del Vaticano! C'est pas possible! Ça se peut pas pantoute. Le Pape...

LA PAPESSE JEANNE

Je suis la Papesse Jeanne. Baisez-moi l'anneau, mon fils.

FRANÇOIS PREMIER

C'est pas Papa, c'est la Mamma, madre mia, mamma mia.

LA PAPESSE JEANNE

Et arrête de bégayer, morveux!

FRANÇOIS PREMIER

Mais enfin, Sainteté, Saint Trône, Sainte Curie, Sainte Bulle, qu'est-ce que ça signifie?

LA PAPESSE JEANNE

C'est comme ça, les temps ont changé. Faut t'y faire. Les voies du Seigneur sont impénétrables. Mais trêve de préambules et zakouskis variés, passons aux choses sérieuses. Mon jet m'attend à la porte pour me mener à Djakarta en tournée eucharistique. Pourquoi m'as-tu fait venir dans ce désert inhospitalier? Où sommes-nous?

FRANÇOIS PREMIER

Saint-Siège! Alors comme ça, vous ne reconnaissez même pas les lieux? Qu'est-ce qu'on vous a appris à l'Institut des hautes études bibliques? C'est le mont Ararat, ignorante, la montagne sacrée où s'échoua un jour la barque de Noé. C'est de ce sommet qu'il dessina la carte de la Nouvelle Alliance. De même, survivant au déluge, c'est de là que j'organiserai la terre. Sur ce nouvel accord il importe que Rome agite la Tiare et le Goupillon, *ad usum omnium gentium, ex cathedra, urbi et orbi.* J'ai fait mon cours classique, sacrament!

LA PAPESSE JEANNE

Prince Ambrosio et vous Graf Fonne-ount-Tsou Schwarzenberg, écoutez-moi. Je ne lèverai pas le petit bout du doigt pour bénir cette entreprise sans bon sens où vous vous êtes fourvoyés. Quant à toi, François Premier, remballe tes cliques et tes claques au plus vite, si tu veux échapper au désastre. Les hordes mongoles s'approchent. Mon bon cousin Gengis Khân les dirige. Il est terrible. Retourne au plus vite dans ton jardin potager de la rue Bourbonnais et contente-toi d'y faire pousser tes tomates et tes concombres. Tu t'es trompé d'époque. Les temps ont changé je te le répète. Tu fais vieille vague. Retourne chez vous, Godefroy de Bouillon.

FRANÇOIS PREMIER

Je n'abandonnerai pas mon empire à deux doigts du triomphe.

LA PAPESSE JEANNE

À ta guise! Je pars pour Djakarta. Les foules indonésiennes me couronneront de fleurs, tandis que toi, tu croupiras dans les charniers de tes victoires. Prince Ambrosio et vous, Graf Fonne-ount-Tsou Schwarzenberg, accompagnez-moi jusqu'à l'échelle de coupée.

Ils sortent.

FRANÇOIS PREMIER

Tout fout le camp. Les traditions se perdent. Il n'y a plus de pape! Eh bien moi, je reste. Le roi François Premier demeure! Alors, camarades. C'est pas le temps de mollir. Nous gravirons ensemble le mont Ararat.

L'ARMÉE

Vive François Premier!

Ils sortent sans grand enthousiasme.

9

Entrent Judith Roberge et Catherine Ragone, enceinte.

JUDITH

Bonjour, Catherine. Bonjour la Reine mère. C'est pour bientôt?

CATHERINE

Au printemps.

JUDITH

Ah Ah, un enfant de juillet?

CATHERINE

Du mois d'août; le 4.

JUDITH

Tu as l'air pas mal sûre de toi.

CATHERINE

Oui.

JUDITH

Pas bien bien parlante à matin.

CATHERINE

Non.

JUDITH

Bon. Eh bien comme ça je m'en retourne chez nous. La neige est à veille de tomber. Ils annoncent une tempête pour la fin de semaine. Bonjour, Catherine. Prends bien soin de toi.

CATHERINE

Judith, parle-moi de lui.

JUDITH

Qui ça, lui ?

CATHERINE

Ton enfant.

JUDITH

Mes enfants ? Roy ? Annie ? Ben, ils poussent. Ils poussent en baptême. Bien différents l'un de l'autre. Roy, on sait jamais ce qu'il pense. Il fait ses petites histoires dans son coin, un indépendant. Il dit qu'il a des contrats. Je ne sais pas ce qu'il veut dire avec ça. Il doit avoir appris ce mot-là dans ses bandes dessinées.

CATHERINE

L'autre...

JUDITH

Annie ? C'est toute le contraire de son frère. Elle est pas gênée pour deux sous, elle chante tout le temps. Peut-être bien qu'elle tient ça de sa mère. Moi quand j'étais jeune...

CATHERINE

Non. L'autre enfant.

JUDITH

Qu'est-ce que tu vas chercher là ?

CATHERINE

L'autre.

JUDITH

Comment tu sais ça ?

CATHERINE

Je le sais. C'est tout.

JUDITH

Je veux pas en parler. Je veux plus y penser, j'ai refaite ma vie, c'est du passé.

CATHERINE

Qu'est-ce qui t'est arrivé? Dis-le-moi.

JUDITH *va s'exalter de plus en plus, jusqu'à donner l'impression d'une furie*

Catherine Ragone! Toi, tu te nommes Madame Premier. Tu as toute ta cour autour de toi. Le char t'attend quand tu sors de chez vous. Demain tu seras la Reine mère pour toujours. Moi quand je me suis trouvée dans ton état, j'étais Judith Roberge et rien de plus. J'étais pas une madame quelque chose. Et pourtant, j'étais reine moi aussi. La reine du western au Café Spartacus. C'était ça mon royaume comprends-tu? Le café Spartacus. Entre la rue de la Tannerie et le carré de l'Arsenal, sur le boulevard Belle-Île. À seize ans, j'ai gagné ma première bataille, je suis passée de la cage au micro. À dix-sept ans, je suis montée sur la scène en début de programme. À dix-huit ans, c'était moi qui faisais la soirée. Je m'étais déjà faite avorter deux fois. Fallait pas qu'il y ait rien qui se mette sur ma route, je partais en grande. Et puis j'ai rencontré Lemieux. Marc Lemieux, le beau Marc, mon prince. Ah oui, on a vécu ensemble pendant cinq mois de temps. Des vrais fous! On n'en pouvait plus de se manger l'un l'autre. Il était marié. Il avait d'autres enfants à ce qui paraît, mais il me disait toujours de pas m'inquiéter. Il allait arranger ça. Moi, je l'aimais à mort, je voyais que lui. Quand je lui ai dit que c'était positif, il m'a paru heureux. Il m'a cajolée. Il m'a même apporté des fleurs, les seules fleurs que j'ai jamais reçues d'un homme. Il prenait soin de moi comme si j'étais le Saint Sacrement, je devenais grosse... Et puis un jour, il est pas rentré. Parti, poussé, disparu, il m'a laissé une lettre: «On a eu du bon temps ensemble, tu seras toujours mon bébé. Ciao, Marc.» J'ai appris qu'il avait liquidé toutes ses affaires et qu'il avait acheté un bar à Panama. J'ai essayé de le retrouver, l'ambassade là-bas m'a dit qu'ils connaissaient pas de Marc Lemieux sur tout leur territoire. J'ai compris que c'était fini.

CATHERINE

Et l'enfant?

JUDITH

J'ai fait comme au catéchisme, comme dans la Bible; je l'ai mis sur les eaux du Nil. Dans une chaloupe, au pied du courant. Moïse! Je ne voulais pas que les Égyptiens le tuent. Ils ne l'ont pas tué. Mon fils a flyé sur le fleuve. Il vit. Il est roi dans une île. Il engrossera des femmes afro-asiatiques. Et un jour, il reviendra à la tête de toute sa tribu. Ça sera la revanche des Roberge. Il écrasera avec ses dromadaires et ses éléphants les esclaves du Spartacus. Il mettra le feu partout. Il ne me reconnaîtra pas, mais moi quand je verrai son front, son œil, sa poitrine de taureau, sa queue raide, je saurai que c'est lui. Je lui dirai: «Tue-moi vite! Tue l'ancienne putain western. Fais de moi la sainte, la sacrifiée, la Maria Goretti du faubourg.»

Pour l'instant, je suis la servante du seigneur. Je bredouille mes prières au temple méthodiste. Je suis devenue Madame, moi aussi, Catherine Ragone. Madame Williams. Je suis la femme légitime de Peter Williams, le pasteur, j'ai enfanté mes légitimes Roy

Williams et Annie Williams et, dans leurs corps et leurs âmes légitimes, ils portent tout le venin que j'ai ravalé. Vous verrez un jour, vous verrez les loups qui chassent de race chacun sur son territoire. Laisse passer la servante du seigneur. Moïse te tuera un jour, Catherine Ragone, car Moïse reviendra casqué le jour de Chanaan, le jour où toutes les murailles crouleront sous les trompettes de mon navigateur!

Elle sort, la neige tombe.

CATHERINE

Pauvre insensée! Et toi, mon chéri, n'écoute pas, ne tape pas du pied contre la porte. Ce n'est pas encore le temps, patience. La neige tombe, il fait trop froid. Attends le joli mai. Je ne t'abandonnerai jamais.

Elle sort.

10

Entrent d'un côté Alcide Premier en costume de voyage, de l'autre Marie-Jeanne Larose et Lou Birkanian.

LOU BIRKANIAN

Alcide, mon petit !

ALCIDE

J'ai voulu vous voir toutes les deux...

LOU BIRKANIAN

Comme tu as grandi !

ALCIDE

...toi et Marie-Jeanne.

LOU BIRKANIAN

Quel âge as-tu ? Il y a seulement huit ans, je te donnais le sein.

ALCIDE

Eh bien, imagine-toi que c'est ton lait qui m'a profité. J'ai huit ans.

LOU BIRKANIAN

C'est prodigieux.

ALCIDE

Et souviens-toi aussi du prodige de ma naissance. Ma mère, Augustine Labelle, déchirée, mourante, tandis que de mes deux mains, j'étouffais les serpents envoyés contre moi par les dieux de la nuit. J'ai huit ans mais le temps ne compte pas. Qu'est-ce que le temps ? Je pars. L'air de la cour ne me vaut rien. Il s'y trame des complots qui veulent m'évincer du trône. Catherine Ragone porte dans ses flancs l'enfant de mon père, François Premier et le fruit d'un nouvel amour fait toujours de l'ombrage au rejeton d'un premier lit. Je ne peux pas vivre dans l'ombre, le vaste monde m'appelle, je pars.

LOU BIRKANIAN

Où iras-tu ?

ALCIDE

Nourrice, mon nom est Alcide. Ma mère est morte en me donnant la vie. À l'instant de ma naissance, les égouts de la ville ont craché leurs serpents pour me tuer au berceau. Mais la mort n'a pas prise sur moi, je porte dans mon corps, l'élan du désir, l'impatience originelle, je ne croupirai pas dans les ruelles du Marché-au-foin, les papotages de guenons, l'eau souillée de tous vos bénitiers. Je vois la mer qui scintille au loin, les îles du soleil, les rives chargées de fruits, les longues barques. Je vois les déserts, les montagnes, les peuples inconnus, j'entends le cri des oiseaux tapageurs. Mes narines sont remplies de l'odeur du poivre, du cumin, de l'anis étoilé, de la coriandre et du safran. Je veux m'en gorger jusqu'au délire. Je sens sur ma peau la caresse des alizés et je bande !

LOU BIRKANIAN

Pourquoi m'as-tu fais venir, moi et elle ?

ALCIDE

Pour accomplir le mariage.

LOU BIRKANIAN

Va ailleurs, le monde est plein de femmes.

ALCIDE

C'est ici que je plante mon fanion de départ.

LOU BIRKANIAN

Ah ! kirghiz, kalmouk, turkmène, uzbek, tatar, mongol ! Lâche donc tes hordes dans les steppes de l'Asie mais laisse cet enfant grandir à son rythme parmi les érables et le blé d'Inde.

ALCIDE

Arrête là tes conseils nourrice, chante plutôt le chant d'Hyménée ; chante-le fort. Chante-le à tue-tête. Chante la chanson de toile que chantaient tes ancêtres sur les pentes du Caucase. C'est la musique qui doit accompagner, à son début, l'ouvrage de Pénélope. J'accomplirai le mariage et ensuite je partirai pour l'Azerbaïdjan !

Il saisit Marie-Jeanne par un pied et sort, la portant sur son dos. Lou Birkanian gémit et sort.

11

Entre Catherine Ragone poussant la chaise de son père, Filippo Ragone dit le Débile.

CATHERINE

On fait le tour du pâté de maisons. Ça dégourdit les jambes. On respire l'air du dehors. Et puis j'aime ça te parler. C'est bon les gens qui répondent pas, qui répondent jamais, qui peuvent pas répondre. On se déverse en eux comme dans un vase ouvert. C'est la liberté. L'eau coule, on rêve.

FILIPPO RAGONE

Yeh!

CATHERINE

C'est tout ce que tu sais dire et ça suffit. Une syllabe de temps en temps. Ah! Ah! La communication! *(Filippo lui met la main sur le ventre.)* Ta main sur mon ventre, oui! Ton pouce enfoncé dans mon nombril, oui! Dans quelques semaines ça sera plus difficile, je serai pleine à craquer. Avec ton index tu traces un cadran sur ma sphère. Mon rêve passe au travers. Tous les visages de mon Richard m'apparaissent dans ce médaillon. Tourne l'aiguille, Filippo Ragone. *(Filippo met son index vers le bas.)* Il est six heures du matin, le jour se lève: Richard, mon fils, a la beauté des sources, il joue parmi les fleurs. Quand il se jette dans mes bras sa nuque est molle sous mes baisers, sa peau a le goût de la tire neuve. Tourne. *(Filippo met son index à l'horizontale.)* C'est neuf heures, le cheval saute par-dessus l'enclos, il s'ébroue enfiévré, solitaire, il dévale la colline en galopant. Il est fort ; les pouliches s'écartent sur son passage mais elles se tordent le poitrail pour le regarder par derrière à la dérobée. Midi, Filippo ! *(Filippo obéit.)* Richard monte le grand escalier. Je vois les déesses tutélaires vêtues de marbre blanc qui font la haie : la connaissance, la force, la beauté, la justice, la ruse et aussi la petite déesse indispensable : la séduction. Il arrive au portique. Change de main, il est trois heures. *(Filippo le fait.)* L'après-midi d'été, immobile, flambe de tous ses feux. Les trompettes sonnent. Mon fils, mon Richard est roi. Arrête ton horloge. *(Filippo retire sa main.)* Le règne de Richard n'aura pas de fin. Mon fils est immortel. Il n'y aura jamais de crépuscule. Il n'y aura pas de nuit ! Hein, papa, j'ai raison ? Richard ne peut pas mourir. J'ai raison, hein ? Les enfants ne meurent pas ?

FILIPPO RAGONE

Yeh !

Il reste songeur. Catherine est très émue, mais elle se reprend.

CATHERINE

Nous reviendrons demain. Demain je ferai d'autres rêves !

Ils sortent.

12

Sur les hauteurs du mont Ararat. François Premier entre. Il est épuisé.

FRANÇOIS PREMIER

Ils m'ont tous abandonné. Ils ont fui dans la plaine comme des lièvres ou se sont rembarqués sans combat sur leurs vedettes rapides. Ambrosio, Schwarzenberg. Tous des lâches ! J'aurais dû me méfier de cette bande de ratoureux. Et Lou Birkanian elle aussi, elle m'a trompé avec ses prophéties, la sorcière ! « Aucun être vivant, m'avait-elle prédit, aucun être vivant ne pourra jamais te donner la mort. » Je crève de faim. Je suis épuisé de fatigue. Mes blessures empirent, mes poumons se dessèchent. Est-ce cela qu'elle voulait dire ? que je mourrai ici, seul, sur le mont Ararat. Échappé au déluge, mais tué par ce soleil de feu. Héraclès ! Prométhée ! Sisyphe ! mes compagnons ! François Premier aujourd'hui vous rejoint au sommet de la montagne et je n'ai même plus à espérer la colombe de Noé. Calvaire ! Oui, tous au calvaire ! Tous, tous, nous y finissons tous. Pourquoi cette éternelle ascension ? Faut-il monter toujours, toujours travailler, toujour souffrir et recommencer inlassablement la douleur du monde pour porter si haut nos charognes ? *(Il s'évanouit. Entre une femme masquée vêtue en afghane portant sur la tête une calebasse immense. François Premier se réveille.)* Qui es-tu ? Parle, veux-tu ma vie ? Regarde, je n'ai pas d'arme, approche, donne-moi à boire. Je n'en peux plus. *(Il s'évanouit à nouveau, la femme pose sa calebasse. Elle prend François Pre-*

mier sur ses genoux dans une attitude de Pieta ; il se réveille.) Donne-moi à boire *(La femme lui donne le sein, il boit.)*. Ah ! le feu est en moi, mon ventre brûle. C'est la liqueur blanche, le fromage maison. Augustine Labelle, tu m'as retrouvé. Tu me nourris. Tu m'emmènes. Augustine Labelle... *(Il meurt.)*

LA FEMME

...morte en couches. Morte en couches, morte en couches. *(La femme déshabille François Premier et le fait entrer nu dans la calebasse, elle sort en traînant son boulet.)*

13

Coups sourds à la porte du théâtre. Entre Catherine Ragone échevelée, écartelée par quatre femmes qui lui tiennent les pieds et les mains : Lou Birkanian, Judith Roberge, Madame Roberge et la jeune Marie-Jeanne Larose.

CATHERINE

Il arrive, il frappe à la porte, déployez les draps, faites brûler l'encens, jonchez le sol de palmes. Allumez tous les flambeaux. Que la maison se remplisse de lilas, de muguet. Et la musique ! Faites venir les musiciens. L'aurore va bientôt se lever. La première lueur du premier jour de mai.

Entre le premier messager.

1er MESSAGER

Je voudrais n'avoir que des paroles de miel pour adoucir ton labeur, mais, esclave de la vérité, il me faut dire ce que je ne peux te cacher plus longtemps.

CATHERINE

Parle.

1er MESSAGER

Sur notre frontière de l'ouest, les digues se sont rompues, les eaux déchaînées ravagent le territoire de nos alliés. Elles menacent Irkoutsk et Krasnoïarsk.

CATHERINE

Qu'importe une débâcle de printemps ! Bientôt le soleil de juillet fera refleurir les pousses déracinées. La Reine mère est sur la job. L'œil du typhon s'ouvre entre mes cuisses avec toutes les fureurs du Krakatoa et tu me parles de crues saisonnières. Va-t'en, gourgousseux, va chanter ta complainte au ministère des Eaux et Forêts. Dewors !

Entre le 2e messager.

2e MESSAGER

Horreur ! Un nuage toxique poussé par le vent du sud remonte la vallée de la Matapédia. Arbres, semis, bestiaux, humains tout s'étiole et meurt dans les souffles délétères.

CATHERINE

Mettez des masques aux chevaux, aux enfants. Laissez crever les vieillards, ils ont assez vécu. Organisez l'évacuation des valides vers les glaciers du nord.

Entre le 3e messager.

3e MESSAGER

Notre laboratoire de la Pointe-aux-Foulons vient de céder à la révolte des fils de Frankenstein. Ils s'attaquent aux régiments de la garde nationale et les écrasent. Aucune arme à feu ne peut en venir à bout. Leurs bandes désolent les villes et les campagnes.

CATHERINE

Mettez le feu aux forêts. Faites sauter à la dynamite tous les ponts menant à la capitale, minez les routes, François va bientôt revenir. François et ses cavaliers reprendront le dessus. *(Entre le 4e messager.)* Qui es-tu ? Que veux-tu encore, oiseau de malheur ?

4e MESSAGER

Voici la plus terrible nouvelle. Et c'est moi qui dois la porter. Notre espoir, notre force, notre sauvegarde n'est plus, François Premier est mort.

CATHERINE

Ah! Ah! Ah! Tant pis! François Premier! Toujours absent quand le danger menace! Toujours ailleurs quand la douleur vous poigne! Ce n'est pas le temps de pleurer un cadavre inutile. Le bélier pousse la porte à coups redoublés. Les charpentes craquent. Les gonds sont arrachés. Va sur la tour, messager, rassemble la population à force de trompettes et gueule de toute ta voix jusqu'à t'en faire péter le gosier. Hurle sur toute la ville la double nouvelle: Le roi est mort! Vive le roi!

Catherine Ragone hurle, un flot de sang se déverse sur sa robe blanche, la porte est enfoncée. Arrive un char allégorique portant, en son centre un amas de viandes rouges et, en équilibre dessus, le jeune roi Richard en bobette avec une chaussure orthopédique.

CATHERINE

François Premier est mort! Vive le roi Richard!

Arrive à toute vitesse Filippo Ragone dans sa chaise.

FILIPPO RAGONE

Yeh!

On entend des trompettes et des hurlements de foule. Catherine se précipite sur Richard et le couvre de baisers, pendant que le char allégorique traverse la scène et sort, suivi par le moine aveugle.

FIN

II

L'ENFANCE DU ROI BOITEUX

Où l'on voit les enfants, Freddy Dubois, Roy et Annie Williams, Marie-Jeanne Larose, Richard Premier, Sandy Sparks et Nelson Trapp, les jumeaux, bâtir un univers fabuleux.

Où les grandes personnes montées sur des échasses cassent leur fun.

Où se découvrent les ambitions de Richard.

Où la chicane prend entre Catherine Ragone et ses voisines.

Où Filippo Ragone apporte une monstrueuse nouvelle : Peter Williams, le mari de Judith, a été mangé par les derniers anthropophages de l'Amazonie.

Où Judith Roberge devient folle.

Où s'organise une étrange fête funèbre au cours de laquelle on enterre l'enfance de Richard.

Un petit tracteur conduit par un travailleur de la construction en tenue entre, tirant une vanne de sable. On répand cette vanne de sable au centre de la salle. Il y a dans le sable une grosse bouteille de coca-cola et une tortue vivante. Le tracteur sort.

1

Entrent Freddy Dubois, Roy Williams et Annie Williams. Ce sont des enfants, c'est-à-dire qu'ils ont des habits et des accessoires d'enfants, mais ils jouent en adultes. Roy porte un sac dans lequel il y a un chat vivant. Freddy plante son fanion à la pointe de la montagne de sable.

FREDDY

Tous nos ennemis sont morts. Je suis le Sultan de Bakou. Je prends possession de la montagne.

ANNIE

Vive le Sultan de Bakou! Répète, Roy, répète.

ROY

Vive le Sultan de Bakou!

FREDDY

Tu seras ma sultane.

ANNIE

Donne-moi les anneaux.

FREDDY

Les voici. Et toi tu vas nous bénir.

ROY

Mettez-vous à genoux *(Le chat se sauve du sac.)* Mon chat! Aidez-moi à le rattraper. Annie, viens-t'en. Aide-moi à le rattraper.

FREDDY

Tu en trouveras un autre. Heïe, Roy, énerve-toi pas. Viens faire le mariage.

ROY

Faut que je rattrape mon chat. J'ai promis au Chinois. À chaque fois, il me donne une piastre. Attendez-moi, ça sera pas long. *(Il sort.)*

ANNIE

Avec lui c'est toujours la même chose.

FREDDY

On n'a pas besoin de lui. On va faire le mariage pareil. Dis oui, Annie.

ANNIE

Oui, Freddy.

FREDDY

Viens ici, esclave.

ANNIE

Oui, mon sultan.

FREDDY

Donne-moi un bec.

ANNIE

Oui, voilà.

FREDDY

Montre-moi tes fesses.

ANNIE

Ben, Freddy, t'es pas gêné !

FREDDY

Montre !

ANNIE

Tiens. *(Elle montre ses fesses.)*

FREDDY

Bon, le mariage est fini. Qu'est-ce qu'on fait maintenant ?

ANNIE

On part en voyage.

FREDDY

Où ça ?

ANNIE

Au Turkestan, au Pakistan, au Kurdistan, au Baloutchistan, en Afghanistan... aux Bahamas.

FREDDY

O.K. doux ! Toute la terre est à nous.

ANNIE

Viens sur le jet.

FREDDY

O.K. doux ! Sur le jet !

Ils s'installent sur la bouteille de coke et commencent leur voyage.

ANNIE

On va partir, hein Freddy! Ça commence dans les pieds, les doigts de pieds chatouillent. J'ai peur un peu. J'ai peur, mais j'ai envie. Tiens-moi bien, mon sultan, c'est la première fois. J'ai mal aux genoux. Ça me remue le ventre. Je suis toute en eau. Faut que je reprenne mon souffle... Si on rentrait?... Non, je veux, je veux, je veux pour de vrai. Ah! voilà les gros moteurs qui se mettent en route. Ça fait un bruit pas croyable. Toute la machine grouille, grouille. Je suis secouée dans mon ventre. Arrêtez. Non, arrêtez pas, on peut plus s'arrêter. Ça s'accélère. Je suis poussée en arrière, sur le dos, mes jambes se tendent. Je peux plus m'échapper. Je suis prise au piège. Il faut que ça avance, que ça force, plus vite, plus vite, que ça défonce, que ça décolle. J'entends plus rien. Je vois plus rien. Je sens plus rien. J'ai peur. Je veux rentrer chez nous. Non. Non. Non. Non... Oui! Ça y est. On est parti. C'est fini...

Je suis loin, très loin, très haut. C'est donc ça ma maison avec la cour arrière? Une petite boîte d'allumettes. Les trembles de la rue? Quelques touffes d'herbes alignées. Tout mon quartier? Une grille pour les mots croisés. La ville est un grand gâteau de fête avec ses bougies carrées. Le fleuve? Une ceinture d'argent. Je vois les montagnes s'aplatir. Je vois les champs, les forêts, les lacs, les glaciers. Ils s'ajustent les uns dans les autres pour décorer le globe de leurs dessins multicolores. Et les nuages! La ouate, la douceur, le lit. Nous redescendons, nous plongeons dedans. Oum! La tempête. Waoum! les éclairs. C'est magnifique. Tout s'illumine et fuse en feu d'artifice. Et puis maintenant tout devient calme. La descente est douce. Nous atterrissons dans le désert. Je sens déjà sur mon visage le vent sec, le vent chaud de l'Azerbaïdjan. Nous sommes arrivés. *(Ils descendent de leur monture.)* Aide-moi à tirer notre embarcation sous les palmiers.

Ils sortent en traînant la bouteille de coca-cola.

2

Madame Roberge et Judith entrent portant des sacs à marché.

MADAME ROBERGE

Ils vont-tu en finir avec leurs maudits travaux? Ça met des graines de sable partout. Y en a dans tous les escaliers.

JUDITH

Pas grave. Les enfants jouent là-dedans. J'aime mieux ça que les entendre se chicaner sur le balcon.

MADAME ROBERGE

Puis moi, faut que je passe la balayeuse deux fois par jour!

JUDITH

Emma, tu es pas de bonne humeur à matin.

MADAME ROBERGE

Qu'est-ce qu'elle a eu besoin, celle-là de faire refaire tout son premier étage? Qu'est-ce qui lui a monté à tête? C'est son veuvage, certain, qui lui fait ambitionner! Elle se prend pour une autre, la Ragone. La Reine mère rénove son palais. Elle veut nous humilier avec ses constructions.

JUDITH

Lâche-moi ça, Emma Roberge. Ça croulait de partout, tu le sais bien. Les inspecteurs sont venus à la fin de l'hiver. Ils ont dit que sa sortie de feu était pas sécuritaire.

MADAME ROBERGE

Ah, ah! Catherine Ragone qui a peur du feu! Mais le feu au cul, ça, ça lui fait pas peur. Ça non! Je l'ai vue hier chez Provigo avec son cousin Léopold et je peux te le dire, ma petite fille, ils avaient l'air de bien s'entendre. Bras dessus, bras dessous, les yeux dans le vague et la lèvre mouillée.

JUDITH

Ben voyons donc, Emma, c'est son cousin!

MADAME ROBERGE

Raison de plus. Le vice c'est dans le sang. Le vice Ragone. Le vice qui a tué notre sœur Angela.

JUDITH

Recommence-moi pas toute cette histoire! Angela est morte ça fait des années.

MADAME ROBERGE

Pour moi, elle est toujours là. Je rêve à elle toutes les nuits.

JUDITH

Viens-t'en. Je suis pressée. Qu'est-ce que t'attends?

MADAME ROBERGE

Le Buckingham! The Buckingham Palace, comme dirait Peter Williams, ton pasteur de mari. Le palais royal! Un jour ou l'autre j'y mettrai le feu, sortie de secours ou non, inspecteurs ou pas inspecteurs. Moi là, je voudrais donc ça que toute leur maison s'écrase à terre puis les voir tous les deux dans rue, Catherine Ragone et son avorton.

JUDITH

Pourquoi tu les hais de même? Qu'est-ce qu'elle t'a fait? C'est ta nièce au bout du compte.

MADAME ROBERGE

C'est plus ma nièce. Du moment où elle s'est faite fourrer par son capitaine de dragons, elle a achevé d'être ma nièce. Je l'avais avertie. Elle devait pas faire ça. Elle avait pas le droit de renforcir la maison Ragone. Elle a trahi Angela, elle a trahi notre famille le jour où elle a pondu son kangourou. Et son kangourou, son Richard de marde, je le vois grandir dans la cour comme de la mauvaise herbe. Il est tordu dans tête aussi bien que dans son corps. Il nous tuera tous, c'est moi qui te le dis, toi, moi, tes enfants.

JUDITH

Mes enfants, ils savent se défendre. Fais-toi-z-en pas pour eux.

MADAME ROBERGE

Ils s'imaginent pas comment il est malfaisant.

JUDITH

Roy est pas un enfant de chœur. Ça non! on peut lui faire confiance.

MADAME ROBERGE

Et Annie, tu as pas peur pour elle? Annie est une petite fille sans dessein. Fais bien attention que Richard mette pas la main dessus.

JUDITH

Allons donc, exagère pas. C'est des enfants. Ils s'amusent dans la cour, entre cousins. C'est toute.

MADAME ROBERGE

Aïe, le vice! le vice Ragone! Ça se pratique en famille. Ça se transmet à la descendance. Et qu'est-ce que c'est la descendance de Filippo Ragone? Tu le sais pas? M'as te le dire si tu le sais pas. C'est pire que la peste amérindienne, la grippe de Hong Kong, la grattelle des hauts-plateaux. Ça se glisse partout comme des graines de sable. Ça s'introduit dans toutes les fentes, poussé par les vents mauvais. Ça se multiplie, ça prolifère. C'est la marée montante, la vague d'assaut, les rats qui envahissent les villes en colonnes par douze. Toute cette race qui grouille à la surface du globe avec ses désirs, ses odeurs, ses armes au bout du bras, ses ricanements. Arrêtez-moi ça, toutes les femelles du monde! Bouchez vos trous. Mettez sur la place vos œufs catégorie A grosseur extra gros. Halte. Stop. Débrayage. On achève. Il y a trop de coquerelles qui partent à l'assaut du garde-manger. Y a trop de beurrage à coups de piston dans les chambres à coucher. Qu'est-ce qu'il en sort? Qu'est-ce qu'il en sort toujours? Des coquerelles!

JUDITH

Ben, reprends ton souffle, Emma! Calme-toi une minute. Tu es toute retournée. Peut-être ben que tu dis tout ça parce que tu as jamais eu d'enfants.

MADAME ROBERGE

J'en ai eu. Ils ont tous crevés dans mon ventre. Je devais pas avoir le *magic touch*. Je devais pas avoir la bonne taille pour leur servir de sac à viande. Et je le regrette pas, ciboulette. C'est grâce à ça que j'y vois plus clair. En tout cas, je vois les choses ben mieux que toutes vous autres, les poules pondeuses cocoriquettes, derrière les grillages de vos poulaillers. J'ai eu deux hommes aussi. Ils sont morts tous les deux. Je veux plus m'en souvenir. Je veux plus rien savoir. Fini les hommes. Ils ont passé dans ma vie comme une tempête du mois d'avril. Ça met de la boue partout, mais ça dure pas longtemps. Je suis Emma Roberge. On m'appelle Madame Roberge, y a pas personne qui s'est jamais trompé là-dessus. J'ai jamais été une Madame Couillard ou Madame Veuve Marchessault. Couillard et Marchessault ils sont dans leur tombe sous la terre. Moi, je marche dessus avec mes 8 ½.

JUDITH

Roy et Annie sont vivants. Ce sont les enfants de Peter Williams, mon mari. Quand il reviendra du Brésil, il dira: « Tiens, les petits ont grandi! » et on ira tous les quatre en ligne louer le Seigneur au temple méthodiste avec des cantiques à trois voix. J'ai toujours aimé la musique.

MADAME ROBERGE

Peter Williams, il est jamais là. C'est son plus grand avantage.

JUDITH

Il va revenir bientôt.

MADAME ROBERGE

Tu parais bien satisfaite!

JUDITH

Oui.

MADAME ROBERGE

Mais qu'est-ce que vous avez donc toutes, Saint-Christophe de Sacristie? Qu'est-ce qui vous démange de partout, et toi la première, Judith Roberge, ma sœur, qu'est-ce qui vous pousse, qu'est-ce qui vous force comme des choucroutes à tapisser votre intérieur avec des saucisses de Frankfort? C'est ça qui te rongeait les sangs dès le début, du temps où tu chantais tes romances au Café Spartacus! Tu aurais pu être la reine, triompher dans le western et la chanson tyrolienne. Tu aurais pu te tenir debout toute seule, toute droite sur ton fil à plomb, mais non ! Y a fallu que tu te mettes à l'horizontale ! et de l'horizontale à la grosse balloune, y a tout juste l'intervalle d'une demi-lune. Misère.

JUDITH

Arrête, tu me fais du mal.

MADAME ROBERGE

Dis-moi pas que j'ai pas raison. Dis-moi pas que c'est pas ton affaire de cœur avec Marc Lemieux qui a pas brisé ta carrière. Et qu'est-ce que tu as gagné en échange ?

JUDITH

Mon fils a descendu le fleuve dans sa corbeille de joncs. Moïse est roi dans une île.

MADAME ROBERGE

Et toi, tu es ici, esclave, à éplucher tes patates en attendant le retour des croisés.

JUDITH

Emma, je te laisse. Tu es trop à l'envers. Je m'en vais préparer le dîner.

MADAME ROBERGE

Le règne de Richard a commencé et tu ne t'en rends pas compte. Rêve donc à ton Moïse, ton enfant perdu : un autre vengeur, un autre tyran. Mais moi, je me laisserai pas écraser par personne.

Elles sortent chacune de son côté.

3

Entrent Freddy et Annie. Ils gravissent le tas de sable.

FREDDY

C'est le matin. Le soleil se lève sur notre victoire.

ANNIE

Nos troupes se sont bien comportées. Les dragons sont morts, les vieilles cathédrales sont détruites, le tyran s'est enfui ; il ne reviendra pas.

FREDDY

Nous aurions dû le pendre en haut du minaret.

ANNIE

Non. Il est bon que le nouvel état ne commence pas son règne par un assassinat. Il faut tout changer, même la justice, même la mort.

FREDDY

La mort n'existe pas.

ANNIE

Nous, le couple-guide, le frère et la sœur, enfants de Ptolémée ; étendant notre regard sur toute la terre habitée et lançant notre cri aussi loin que les caravanes poussent leur chemin dans les déserts qui nous entourent, nous proposons, statuons et proclamons l'inexistence de la mort !

FREDDY

Chaque jour, éternel ! Chaque lieu, immense ! Chaque être, irremplaçable.

ANNIE

Nous voici parvenus aux origines, la racine du grand tout, l'éden entre les deux fleuves, le Tigre et l'Euphrate, comme deux monstres apaisés qui conjuguent leurs eaux pour vivifier le jardin luxuriant.

FREDDY

Regarde autour de toi, il n'y a que du sable sec.

ANNIE

Il refleurira. Nous convoquons nos frères et cousins de la Caspienne et de l'Oural.

FREDDY

Nos sœurs, tantes et compagnes des rives de l'Indus où pousse la fleur mystérieuse.

ANNIE

Les peuples vêtus de noir que nourrit l'igname et le manioc.

FREDDY

Et les pêcheurs des îles sur leurs pirogues à balancier.

ANNIE

Et les femmes muettes désignant du doigt le versant des Andes où chaque jour reparaît le soleil.

FREDDY

Les Japonais à lunettes.

ANNIE

Les Suédoises aux seins de miel.

FREDDY

Et les natives du grand archipel dont tout le corps, depuis les orteils bistres jusqu'aux yeux en amandes, crient joyeusement: « Philippines ».

ANNIE

Les amazones !

FREDDY

Les Indiens polygames !

ANNIE

Les Zoulous et les Cafres aux sexes tatoués.

FREDDY

Et les montagnards méos dans leurs champs de pavots.

ANNIE

Les Mongols rêveurs, lignée de Gengis Khân.

FREDDY

Les pasteurs, les colons, les guerriers, les chasseurs, les savants et les sages.

ANNIE

Les porteuses, les soigneuses, les donneuses, les nourrisseuses, les conseillères, les espionnes, les prêtresses et les impératrices.

FREDDY

Toutes les bouches du vaste monde qui mangent, boivent, salivent, baisent, mordent, soufflent et — destinée suprême — parlent.

ANNIE

Toutes les mains faites pour prendre et caresser, pour retenir et pour pousser dehors, pour agencer, coudre et pétrir ; mains tendues vers l'appel, adoucies par l'absence, crevassées au gel, amollies sous l'huile de palme, gantées d'ignorance, ou armées de piques et d'aiguilles ; toutes les mains jointes dans le désir ou la prière ; contractées par la peur ; mains du sommeil, du défi, du plaisir, de l'abandon, de l'accueil, de l'ouvrage ; nous vous convoquons !

FREDDY

Faites sonner les trompettes. Le camp du Drap d'or est ouvert. Et sous notre tente, nous attendons nos partenaires.

Une trompette déchirante à la Miles Davies lance un appel. Entre la reine de Saba, fastueusement vêtue de chiffons pêchés dans un grenier, accompagnée d'un eunuque qui agite un éventail — ça peut être un râteau de jardinage. La reine de Saba n'est autre que Marie-Jeanne Larose et l'eunuque, Robert Houle. Musique orientale.

FREDDY

La reine de Saba !

MARIE-JEANNE

J'ai entendu votre appel. Je suis venue.

ANNIE

Tu es très belle.

MARIE-JEANNE

Oui, je suis belle. Le nouveau monde commence. Il fallait que je sois là. J'ai quitté ma ville morte à l'appel de la trompette, les gardes qui veillent aux portes étaient endormis. Ils ne m'ont pas vu m'enfuir. Mon peuple de vieillards me regrettera peut-être, mais ils n'ont pas réussi à me rattraper. Ma beauté n'était pas faite pour eux. À quoi sert d'être belle, si ce n'est pour se joindre à l'enfance du monde ? Quand je marchais dans le désert, toutes les pierres s'ordonnaient devant moi. Elles traçaient ma route. Elles disaient: «Là-bas!» Je leur obéissais. C'est donc ici le rendez-vous, le nœud central, l'ombilic de la terre, le point de rencontre et de départ, l'espoir nu. Tout est possible. Rien n'existe encore.

Autres sons de trompettes. Entre Richard Premier sans sa chaussure.

ANNIE

Et voici notre frère du Nord. Son épée brille dans le soleil.

FREDDY

Pourquoi viens-tu en armes? Tu n'as pas d'ennemis parmi nous.

RICHARD

Mon épée n'est pas là pour la guerre. Elle est un rayon de lumière. Elle est faite pour trancher ce qui est embrouillé, pour couper les attaches. Elle indique le milieu. Elle se nomme justice. Droite, pointée vers le ciel, sans faille, liée par sa base au fléau de la balance. Indicatrice du poids des actes, gardienne de l'équilibre. Elle prolonge ma main et lui donne une pointe unique et minuscule. Mon épée, par sa lame, tranche tous mes doutes et elle concentre ma force en son extrémité.

MARIE-JEANNE

Roi du Nord, j'ai entendu parler de ta sagesse et ce discours confirme ta renommée. Mais je t'en prie, un instant, pour me plaire, plante ton épée dans le sable; enfouis cette pointe si précise. J'aime ta main dispersée, tes cinq doigts ouverts comme une feuille de bananier. L'ombre est douce au-dessous.

Richard enfonce son épée dans le sable.

RICHARD

Tu es belle, ma bien-aimée, comme la gazelle du sable, comme la panthère de nos forêts.

MARIE-JEANNE

Tu es beau, mon bien-aimé, comme le baobab et l'arbre à pain.

RICHARD

Tes yeux sont les deux épingles d'or qui rehaussent le voile de soie des femmes de Cappadoce.

MARIE-JEANNE

Ton torse est la tour de garde des palais de Babylone. Aucune aspérité ne la dépare.

RICHARD

Tes seins sont des grappes de raisin. Leur peau est douce et chaude.

MARIE-JEANNE

Tes bras sont deux arcs au repos.

RICHARD

Ton ventre est une dune lisse autour du puits à sec.

MARIE-JEANNE

Tes deux cuisses sont des piliers portant la charpente.

RICHARD

Tes hanches sont des collines cachant la vallée.

MARIE-JEANNE

Ton sexe est un poisson sans écaille.

RICHARD

Ton jardin recèle tous les aromates. Qui pourrait l'explorer, sans délice, sans ivresse?

MARIE-JEANNE

Je me suis sauvée de la ville, mes souliers à la main. Aucun des gardes qui veillent aux portes ne m'a arrêtée. Ma sœur timide m'a vue sur le chemin de ronde. Elle m'a appelée: «Où vas-tu? Où fuis-tu dans la nuit, comme une voleuse emportant un trésor?» Ma sœur timide pleurait sur le chemin de ronde — Silence, sœur timide, je vais rejoindre mon bien-aimé, le trésor que j'emporte ne peut pas s'épuiser. Au matin, tu diras aux gardiens, tu monteras sur la plus haute tour et tu diras à la foule: «Ma sœur s'est enfuie dans la nuit, elle a emporté son trésor. Ne cherchez pas à la rattraper, car elle est plus rapide que la biche, plus ardente que le vent du sud, plus subtile que le serpent. Ma sœur s'est échappée de nos murs, elle ne reviendra pas. Enfermez-vous dans vos maisons et racontez son histoire.»

RICHARD

Je viens des hautes terres, là où la forêt s'épuise à grimper les pentes qui touchent au ciel. Chaque soir, je voyais au loin, à l'heure où la clarté rougit, la large plaine septentrionale s'enfoncer dans la nuit, bien longtemps avant nous. Puis les feux s'allumer çà et là. Tous les points de vie luttant contre l'ombre. Et j'attendais le signal. Chaque soir le désir montait en moi brutalement, gonflé de cette attente et de l'espoir inlassable. J'étais semblable à l'astronome fatigué par l'ordre de l'univers connu qui, secrètement, rêve de voir surgir dans son oculaire la comète fulgurante. Et un soir, j'ai vu la colline d'en face s'embraser; et plus loin, un autre flambeau; et plus loin, encore un autre. Toute une chaîne de lumière qui venait droit vers moi en s'intensifiant et qui m'indiquait la route. Et: Ohyéhoaoumatiyoléà! Mon cri m'a fait dégringoler de mon éperon. Je riais, je pleurais, je sautais, je dansais. Je n'ai pris pour bagage que mon épée. J'ai descendu les pâturages, j'ai traversé les forêts, fauchant mon chemin à travers les broussailles, j'ai franchi les fleuves, couru les savanes. J'ai affronté le minotaure qui garde la passe des Rocheuses, je l'ai exterminé. Enfin, j'ai parcouru le chemin de sable qui menait jusqu'à toi.

MARIE-JEANNE

Mon roi !

RICHARD

Ma reine d'Arabie !

FREDDY

Précieuse rencontre de deux âmes singulières ; que le ciel fasse pleuvoir ses bienfaits sur eux.

ANNIE

Nous célébrerons votre accord comme un heureux présage d'harmonie universelle.

FREDDY

Mais je vois s'avancer notre cousin venu des rives de l'Ouest. *(C'est Roy portant son sac. Il salue tout le monde.)*

ROY

Voici mon cadeau.

Il ouvre son sac. À l'intérieur, c'est une masse d'objets quelconques shootés en or. Roy porte un manteau de roi mage couvert d'étoiles.

ANNIE

Ô beauté des choses intactes ! Ô fraîcheur du métal ! Ô lumière !

Cérémonie assez grave durant laquelle tous s'embrassent à tour de rôle, puis s'assoient dans le sable.

FREDDY

Et maintenant, que nos danseurs viennent nous réjouir, afin que notre réunion s'achève dans le plaisir.

C'est l'entrée de Sandy Sparks et Nelson Trapp, les jumeaux, qui vont faire quelques tours d'acrobatie, sur une musique afrocubaine de bonne qualité. Pour finir, ils composent un être hermaphrodite dont on voit le sexe mâle et les seins de femme. Il évolue assez indécemment.

Mais le plaisir de cet être à quatre bras et quatre jambes se change peu à peu en douleur. Ils s'entortillent dans l'attelage qui les unit. Ils sont près de s'étouffer, ils gémissent. La musique devient de plus en plus frénétique. Richard saisit son épée, il va trancher les liens qui étranglent Sandy et Nelson. À ce moment, coup de théâtre, c'est l'arrivée de Catherine Ragone montée sur des échasses. La musique s'estompe. Les acteurs prennent des attitudes d'enfants niaiseux pris en faute.

CATHERINE

Mais de quoi ce que c'est que vous faites, les enfants? Dépêchez-vous de serrer tout votre stock. C'est l'heure de rentrer à maison.

RICHARD

Maman, on a encore du temps.

MARIE-JEANNE

On a du fun, Madame Premier.

CATHERINE

Rentrez que je vous dis! Et d'abord, Richard, remets donc ton soulier. Le docteur a dit qu'il fallait pas que tu marches nu-pieds. Va-t'en astheure, Marie-Jeanne, tes parents vont se faire du souci. Tu reviendras demain. *(Richard met sa chaussure orthopédique. Catherine découvre les jumeaux qui se rhabillent à la hâte.)* Ben... Ben quoi... Ben, maudit, les jumeaux! qu'est-ce c'est ça? Qu'est-ce que vous faites là? Tout nus! À quoi que vous étiez en train de jouer? Rhabillez-vous donc tout suite. Qu'est-ce c'est que c'est que ces manières-là? Regardez-moi ça, ben regardez-moi donc ça! Faut pas vous imaginer que vous allez jouer aux fesses dans ma cour!

SANDY

Madame Premier, on faisait rien de mal.

NELSON

Ben non. On faisait rien de mal. On avait du fun, Madame Premier.

CATHERINE

Fun ou pas fun, ça va faire! M'as le dire à votre tante, vous entendez, m'as le dire à votre tante. En tout cas, c'est fini, c'est ben fini, je veux plus vous voir chez nous. Restez donc chez vous pour faire vos cochonneries. Marie-Jeanne, va-t'en chez vous. *(Richard sort.)* Puis vous autres les Williams, la sale race des Roberge, la même chose pareille, compris? Dehors. Toi, Roy, je t'ai vu, tu sais, j't'ai vu. C'est toi qui as martyrisé le chat de Madame Dubois. Il est rentré, n'avait plus qu'une oreille.

ROY

Oh! Madame Premier, c'est pas moi...

CATHERINE

Obstine-moi pas, mon maudit! Je veux plus te voir ici, compris? Tout le monde dehors. Allez jouer dans le trafic! Cochonneries d'enfants, cochonneries d'enfants, cochons, cochons, cochons. Maudite race de cochons d'enfants sales.

Les enfants se dispersent pendant que Catherine Ragone sort en marmonnant ses imprécations. La scène est vide. La tortue se promène dans le sable un long moment. On entend une mélodie de musique à bouche.

4

Richard Premier entre, il porte sa chaussure orthopédique. Il est seul, il s'ennuie. Il joue avec la tortue. Il lui fait sortir la tête. Il la met sur le dos et l'observe longtemps. On entend la musique à bouche. Il donne un coup de pied à la tortue. Il va prendre l'épée enfoncée dans le sable. Il la brandit.

RICHARD

Moi, Moi Richard Premier, Fils de François mort à la guerre! *(Il joue dans le sable, il y trace des lignes assez mystérieuses.)* Moi, Richard, fils de François Premier et de Catherine Ragone, la Reine mère, elle-même fille de Filippo Ragone, dit le Débile, l'immortel. *(Il joue dans le sable, trace d'autres lignes.)* Moi le petit-fils de Filippo Ragone et d'Angela Roberge, fille du Roi de l'or, Roberge le vieux père, Seigneur d'Abitibi. *(Même jeu.)* Moi, Moi, Moi, Richard ici, Richard présent, Richard le seul! Que veulent dire ces lignes dans le sable? Elles mènent à moi. Elles me désignent. Sauf une! Celle-là qui sort du ventre d'Augustine Labelle morte en couches, la première femme de mon père. C'est la ligne inacceptable qui porte un nom au bout comme un poisson de braconnier accroché à la canne à pêche: Alcide Premier!

Il n'est pas juste, puisque mon père est mort, qu'il existe encore deux Premier sur la terre. Je ne supporterai pas d'autre Premier que moi. Le nom d'Alcide me brûle la bouche comme un fruit vert, un citron. Alcide Premier ne peut pas vivre, s'il existe un Richard. Et Richard ne sera jamais le second.

Patience, mon cœur! Ce qui est fait est fait, mais le lien que la nature injurieuse a noué, la ruse lente et la décision peuvent un jour le trancher. *(Il se remet à jouer dans le sable.)*

Alcide! qu'a-t-il de plus que moi? Le privilège d'être venu plus tôt au monde? So What! Qu'est-ce que cela signifie? C'est à partir du jour où je suis né que s'élève l'échelle de mon temps. Mon regard et ma main créent le monde où je vis. Rien n'existe avant moi, hors de moi. Seule m'importe ma trace dans le sol. *(De sa chaussure orthopédique il brouille le sable.)*

Il est fort, dit-on. Il est beau. Et alors? Qu'est-ce que c'est que cette affaire? Est-ce une gloire pour lui d'avoir, en naissant, déchiré le ventre de sa mère, Augustine Labelle, morte en couches? Est-ce un crédit mérité? À quelle banque? Le crédit de la brute aux épaules trop larges!

Certains le nomment Hercule. Ils racontent sur lui des légendes prodigieuses. Ils parlent de ses exploits, de ses conquêtes. Ils content les serpents qu'il étrangla dans son berceau, le taureau de Crête qu'il aurait dompté plus tard, le géant étouffé par ses bras sur les rives du lac Memphrémagog, les femmes séduites un peu partout...

Eh bien, moi Richard Premier, moi qui suis né malingre, laid, tordu, disgracié, moi le fils de Catherine Ragone, je saurai, par astuce, reconquérir un trône dont la nature et le hasard des temps semblent m'avoir dépossédé.

Allons, Soleil, ne cesse pas d'éclairer le corps estropié de Richard, car Richard, un jour, égalera ton éclat!

5

Entrent Freddy Dubois, Annie et Roy Williams, Robert Houle et Marie-Jeanne Larose.

MARIE-JEANNE

Viens-t'en Richard. Viens-t'en avec nous. On part.

RICHARD

Où c'est-tu que vous allez?

MARIE-JEANNE

En Azerbaïdjan. On est la gang au Sultan de Bakou.

RICHARD

Qui c'est ça le Sultan de Bakou?

MARIE-JEANNE

C'est Freddy. Hein, Freddy, c'est toi le Sultan de Bakou!

FREDDY

Halte, mes troupes! J'aperçois sur ce tertre notre camarade et frère de combat, l'émir de Tabriz que nous allions oublier. Plus nous serons nombreux, mieux ça vaudra. Viens avec nous, émir.

RICHARD

Ça me tente pas.

MARIE-JEANNE

Ça te tente pas! Tu aimes mieux les jupes de ta mère! Tu aimes mieux jouer à la tortue! Ah, mes amis! il ne ressemble pas beaucoup à son frère, mon mari légitime, Alcide le grand, Alcide le fort. Toujours le premier à partir, le premier au combat, le premier à monter à cheval, à courir dans la plaine. Ah, ce n'est pas Alcide qui répondrait: « Ça me tente pas » quand passe la caravane sous ses fenêtres. Reste donc à l'abri, bien au chaud, poltron! Tu n'es pas digne d'accompagner la femme légitime d'Alcide Premier!

RICHARD

Je suis l'émir de Tabriz. Attention, vous autres, ne me marchez pas sur le pied! Il est en fer. Robert, tu seras mon lieutenant. En avant! Et toi, mon épée, montre-nous le chemin!

FREDDY

Bienvenue à l'émir de Tabriz! En avant!

Ils sortent.

6

Entrent les quatre reines sur leurs échasses: Lou Birkanian, Catherine Ragone, Judith Williams née Roberge, Madame Roberge.

JUDITH

Vous m'avez grandement insultée, Reine Catherine, en faisant courir des bruits désavantageux contre mes enfants, Roy et Annie.

LOU BIRKANIAN

Tu m'as grandement insultée, Catherine, en chassant de ta cour mes deux protégés, Sandy et Nelson, ces deux enfants que le ciel m'a confiés. Je te croyais plus accueillante.

MADAME ROBERGE

Tu m'as grandement insultée, Catherine Ragone, fille de Filippo Ragone dit le Débile, en traitant les enfants de ma sœur de «sale race des Roberge». Je suis une Roberge et je t'en demande raison.

CATHERINE

Vous m'insultez gravement en ce moment, mesdames, rassemblées comme des dindes dans l'enclos, croassantes comme des corneilles, bavantes toutes les trois de dépit, de jalousie, de haine. Vous croyez peut-être que votre cortège m'impressionne. Détrompez-vous. Je ne répondrai à ces insultes qu'en empruntant à tes ancêtres, Lou Birkanian, un proverbe qui a cours en Asie Mineure: «Le chien aboie. La caravane passe.»

LOU BIRKANIAN

Moque-toi de mes ancêtres, moque-toi si ça te plaît, ma Catherine, mais tu ne devais pas humilier ces enfants. Laisse-moi te le dire sans haine ni mépris.

JUDITH

La Reine mère était sans doute trop heureuse de rabaisser son cousinage !

MADAME ROBERGE

La Ragone faisait sa fraîche une fois de plus face aux enfants Roberge.

CATHERINE

...Williams !

MADAME ROBERGE

Roberge !

CATHERINE

Williams ! Les enfants de Peter Williams ! Donneur de bénédictions, marmonneur de prières, ramoneur de dîmes, Peter Williams dans son col à tarte, le mari-curé, le prêtre méthodiste, le missionnaire parti au Brésil. Il n'y a pas d'enfants Roberge. Il n'y en a eu qu'un, avant l'apparition miraculeuse de Peter Williams, un seul et tu le sais, Judith, tu sais aussi ce que tu en as fait.

JUDITH

Vipère !

MADAME ROBERGE

Salope !

LOU BIRKANIAN

Allons, mes sœurs, arrêtons là. Votre langage dépasse votre pensée.

MADAME ROBERGE

Hou! Je voudrais que les mots dans ma bouche soient du venin pour te les cracher à la face.

CATHERINE

Digne produit d'une bouche d'égout!

JUDITH

Puisses-tu crever d'envie, Reine mère de pacotille! Puisses-tu t'arracher les yeux de rage quand tu verras nos enfants grandir comme des bouleaux, bondir comme des chevreuils, se dresser comme des colonnes à côté du tronc rabougri de Richard, l'estropié, le clopineux, le raccourci, le monstre, le boiteux.

CATHERINE

Touche pas à Richard, putain, je sors mes griffes!

MADAME ROBERGE

Sors-les! Qu'on voit enfin la chienne Ragone dans toute sa rage.

CATHERINE

Mange donc tous les fœtus dont tu as avorté, toi la femme sans homme, la bête puante dont tout le monde s'écarte pour ne pas empester.

LOU BIRKANIAN *gémit, mais les autres enchaînent*

Ah, misère! *Grojnek bourilass capra sebastigrad. Aillouille Aillouillelamek!*

JUDITH

Chienne! Oui, chienne accompagnée de ton chiot difforme. Va sur la rue, tu ne trouveras pour boucher ton trou que des cul-de-jatte tuberculeux.

CATHERINE

Tu parles de la rue. Retournes-y, c'est ton domaine.

MADAME ROBERGE

C'est toi qui as envoyé ton mari à la guerre. C'est toi qui l'as tué. Et tu n'as pas pleuré sa mort. C'est toi qui as exilé Alcide, le premier fils de François et d'Augustine Labelle morte en couches. C'est ton père, le débile, la honte de notre siècle, qui a tué ma sœur Angela. C'est son mariage contre nature qui a causé la mort de mon père, le roi d'Abitibi. Les Ragone nous ont sans cesse accablé de leurs crimes. Mais la vengeance viendra un jour pour la famille Roberge. Et ce jour-là, je rirai sur le cadavre de mes ennemis.

JUDITH

Tu peux te rengorger de toute ton arrogance. Mais tu es veuve, Catherine. Une veuve n'a pas de pouvoir, c'est une coque vide, un nom sans répondant. Une veuve comme toi n'a que ses yeux pour pleurer, sa bouche pour maudire. Apprends à courber la tête et pleure. C'est le destin des veuves. Console-toi en lavant les culottes de ton avorton. La règne de Catherine Ragone ne durera plus longtemps.

CATHERINE

Criez, les femelles, les chouettes défraîchies! Hurlez dans la nuit, piaillez. Vos vagissements ne sont que le signe de votre impuissance.

LOU BIRKANIAN

Allargounian féschlouss!

7

Entrent Annie, Robert Houle, Sandy et Richard.

ANNIE

Qu'est-ce qu'il y a? Ça va-tu bien? qu'est-ce c'est que vous avez?

SANDY

Oh, Mamette, on s'est bien amusés.

ROBERT HOULE

Oh, oui! Madame Premier, on a eu un fun noir.

ANNIE

Richard c'est l'émir de Tabriz puis Freddy c'est le sultan. Moi, je suis la sultane. Mais Richard m'a enlevée.

ROBERT HOULE

Puis moi, je suis le lieutenant de l'émir.

RICHARD

Qu'est-ce qui se passe icitte? Vous avez l'air en maudit?

ANNIE

Maman. Tu es toute retournée. Tu es-tu en colère? Pourtant on n'a pas fait de bruit. On est allé dans le jardin des Dubois. Marie-Jeanne, elle appelle ça la baie de Djan.

ROBERT HOULE

L'Asebeidjan

LOU BIRKANIAN

Aiaiaia! L'Azerbaïdjan!

ANNIE

Oui, c'est ça. C'est comme tu dis. C'est le fun, l'Aberdjan.

RICHARD

Ben, dis quelque chose! Vous avez toutes l'air sens dessus dessous. Vous vous êtes chicanées?

CATHERINE

Non, mon chéri, nous parlions.

JUDITH

Nous parlions de choses et d'autres.

RICHARD

Quelles choses?

LOU BIRKANIAN

Des affaires de famille. Occupe-toi pas de ça, mon enfant. Ce n'est pas de ton âge.

RICHARD

Vous croyez?

SANDY

Et maintenant on va enlever Marie-Jeanne Larose. Tu viens-tu Richard?

8

Arrive, dans sa chaise roulante, Filippo Ragone. Il tient une lettre et un télégramme.

FILIPPO RAGONE

Yeh ! Yeh !

MADAME ROBERGE

Celui-là, il fallait encore qu'il arrive, ce maudit Filippo Ragone. Eh ben ! Comme ça tout le monde est là. Il manque plus personne à la fête.

JUDITH

Une lettre du Brésil. C'est Peter. Et un télégramme. C'est de lui ! C'est Peter Williams. C'est Peter...

Elle lit le télégramme. Elle tombe soudain de ses échasses et s'affale évanouie dans le sable. Madame Roberge se précipite sur Judith. Lou Birkanian lit le télégramme.

LOU BIRKANIAN

Oh ! *Karakravoy. Lamazonia kébab.*

CATHERINE

Qu'est-ce qu'il y a ? Qu'est-ce qui se passe ?

LOU BIRKANIAN, *tendant le télégramme*

Peter Williams...

CATHERINE *lit*

Oh ! Quelle horreur.

LOU BIRKANIAN

La lettre a mis un mois pour venir. Le télégramme l'a rattrapée.

ANNIE

Qu'est-ce que c'est, Lou Birkanian? Qu'est-ce qu'il dit le télégramme?

LOU BIRKANIAN

Ma petite fille... C'est ton père. Il est mort en Amazonie.

Annie pleure silencieusement. On essaie de ranimer Judith. Les enfants regardent. Arrivent à pleine course Freddy Dubois accompagné de Marie-Jeanne Larose et de Nelson Trapp. Roy suit, portant son sac, roulé en matraque.

FREDDY

L'émir de Tabriz s'est révolté. Il a enlevé ma sultane. À l'attaque!

MARIE-JEANNE, NELSON et ROY

À l'attaque!

LOU BIRKANIAN

Chut, les enfants! Allez jouer plus loin. Faites pas de bruit. Madame Williams est malade.

MADAME ROBERGE

Il faut l'amener dans la maison.

Catherine Ragone, Madame Roberge et Lou Birkanian emportent le corps évanoui de Judith Williams. Annie Williams suit le cortège. Les enfants s'en vont. Sauf Richard, qui ramasse les échasses de Judith Roberge. À nouveau musi-

que à bouche. Il joue longtemps. Seul. Il monte sur les échasses puis descend. Filippo Ragone est là débile et baveux; sous ses paupières stupides, il observe Richard.

RICHARD

Grand-père!

FILIPPO RAGONE

Yeh!

RICHARD

Tu es vieux. Tu dois avoir cent ans.

FILIPPO RAGONE

Yeh!

RICHARD

Est-ce que tu as faite la guerre de Cent ans? Tu peux pas me répondre. Tu es gâteux. Tout le monde le sait. Tu parles plus, tu baves, tu fais sous toi. Pourquoi tu vis? Hein? À quoi ça te sert? Quel plaisir tu prends dans vie? Tu désires plus rien. Tu fais plus rien. Ils disent que tu es un légume. Quel légume? Un chou-fleur? Un navet? Une carotte? Une patate? Une betterave? Hein grand-père? Oh, *gooosh*, je sais même pas si tu m'entends!

FILIPPO RAGONE

Je t'entends parfaitement, mon enfant. Ben quoi, tombe pas à terre! J'entends toute, je vois toute. Je comprends toute. C'est mon secret. Attends, viens icitte, lève la main. Tu vas promettre de le dire à personne. Dis: Je promets.

RICHARD

Je promets.

FILIPPO RAGONE

Je sais que je peux te faire confiance. Je t'ai observé. J'ai vu comment tu mènes tes affaires. Une petite tête mais il y en a là-dedans. Approche-toi donc. Approche plus près, que les autres nous surprennent pas. J'ai arrêté de parler à la mort de ma femme. Ta grand-mère. Un 14 avril, il y a de ça longtemps. Qu'est-ce qui lui a pris à elle, j'ai jamais pu le savoir. Qu'est-ce qui lui est passé dans la tête? Ce jour-là, elle est montée dans son char et elle s'est jetée sur le mur de pierre. À partir de là, je me suis fermé, j'ai plus dit un mot *(Il rit.)* Ils ont cru que c'était une attaque, un traumatisme psychique qu'ils appelaient ça. Mais c'est moi qui l'avais décidé, pour me sauver de leurs histoires, toutes les criailleries des sœurs Roberge, ces sales pestes. Bien sûr, elles pensaient que c'était moi le responsable. Elles m'accusaient. « C'est Filippo Ragone qui a tué notre sœur Angela. » Elles gueulaient ça partout. Quand les gens se tuent eux-mêmes, on cherche toujours le meurtrier. C'est pour ça que j'ai décidé de débarquer. Officiellement. J'ai plus parlé, mais j'ai regardé, j'ai écouté. J'ai tout classé dans ma tête. Au bout du compte, j'y ai gagné. Ça rapporte gros de passer pour débile.

RICHARD

Qu'est-ce que ça t'a rapporté, grand-père?

FILIPPO RAGONE

L'insouciance. Je jouis de chaque jour, de chaque minute du jour qui vient. Comme quand j'étais enfant. Je suis redevenu un p'tit cul. Mais dans ma tête, il y a toute ma vie qui remonte. J'ai l'impression qu'elle s'organise, que tout devient logique, nécessaire et, ma foi, pas malheureux pantoute. En tout cas c'est ma vie, ma vie à moi. Enfin, la vie. Pareil pour tout le monde. On s'agite, on tire à droite à gauche, on part à la conquête du monde, on devient roi, on lutte pour le rester ... Puis un jour les grandes portes s'ouvrent. Les prétendants sont là en ligne avec leurs faces de poissons bouillis. Mais toi, en haut des marches, face à la nuit qui monte, tu te sens tout désemparé. Toi le grand roi tu découvres que tu as jamais rien possédé. Tu as seulement rempli tes jours et ils sont derrière toi. Arrête donc tes farces. Appelle pas tes serviteurs, consulte pas les livres, chasse les astrologues et les philosophes et les biologues, et les notaires, et les curés et les savants et les sages. Ils ne peuvent rien t'apprendre. Devant la mort, un chien en sait autant que n'importe quel humain. Et c'est justice. C'est la grande, grande, grande égalité des vivants.

RICHARD

La mort n'existe pas! L'égalité non plus!

FILIPPO RAGONE

Je sais. Pas encore. Pas encore. Il fait un beau soleil aujourd'hui.

RICHARD

Moi, j'ai des choses à faire. Je suis pas un légume, j'ai pas le temps de me chauffer au soleil; je veux seulement qu'il illumine mes triomphes. Il faut d'abord que j'écrase le Sultan de Bakou. Ce monarque efféminé qui se prétend mon suzerain. J'humilierai la sultane. Elle me léchera les pieds. Je m'installerai dans leur palais au milieu des esclaves circassiennes, les coffres remplis de pétro-dollars que me procureront mes nouvelles possessions. Ensuite, je supprimerai mon demi-frère Alcide et j'épouserai sa femme, m'assurant du même coup le royaume d'Arménie. Enfin je détrônerai, ce sera le plus difficile, ma propre mère, Catherine Ragone, ta fille, qui détient la couronne de mon père François Premier. J'ai de grandes revanches à prendre sur la vie, sur les miens, sur les autres, sur le monde, sur la nature qui m'a blessé au berceau, mais rien n'est impossible pour qui s'y prend à temps.

FILIPPO RAGONE

Yeh !

RICHARD

Retourne à tes baveries, à tes ruminations potagères. Plonge dans ton insouciance, Pépé ! Ce n'est pas ma ligne. Le temps n'est pas pour moi une eau où l'on mijote comme dans un bain tiède, c'est le torrent de la montagne qui risque de t'emporter mais qui te mène au fleuve, à la mer sans limite. Et c'est sur la mer sans limite que naviguera un jour la caravelle de Richard.

FILIPPO RAGONE

Richard !

RICHARD

Qu'est-ce que tu veux, le débile ?

FILIPPO RAGONE, *qui fait signe*

Chut !

RICHARD

Va donc chier !

FILIPPO RAGONE, *très satisfait*

Yeh !

Ils sortent.

9

Entre Judith Roberge, échevelée, la lettre du Brésil à la main. Annie la suit et la regarde. Peu à peu les autres enfants viendront assister à la scène.

JUDITH

Écartez-vous de ma route, les oiseaux de nuit. Écartez-vous de la veuve qui vous fait concurrence. *(Elle rit comme une démente.)* J'ai entendu un cri dans la nuit. C'est le coyote qui rôde autour du campement. La barque s'avance sur le fleuve. Les guetteurs n'ont rien vu. Ils ont trop mangé, trop bu la veille au soir. Les sauvages débarquent. Le soldat brésilien meurt sans un mot, une flèche rouge dans le cœur. Ils avancent. Ils ne font pas de bruit. Ils sont tous nus. Ils sont peints aux couleurs de la nuit, bleu sombre, gris de cendre et noir. Leur sexe est recouvert d'un gant de cuir accroché à leurs hanches par un fil. Ils sont gigantesques. Ils sont armés de lances et d'arcs. Ils passent devant les braises du feu. Je vois leurs ombres. Ils arrivent au hamac. L'homme est dedans, il dort comme une chenille dans son cocon. Pendant un moment, il n'y a plus rien, pas un bruit, pas un geste. Tout est arrêté. La halte avant la curée, le *benedicite*. Ils brandissent les lances, ils respirent tous ensemble. Ils frappent d'un seul coup. Ahan ! Et puis... Et puis... Et puis... Là sur place, avec les machettes, les rasoirs, les haches... c'est le carnage, le marché à la viande. Du sang partout. L'horrible repas. Les chairs molles se répandent à terre. Les chiens et les hommes se battent pour s'arracher les morceaux, ronger les os. Je suis attachée au poteau les jambes écartées, fixées au sol par des lianes. Les hommes s'approchent. Ils tournent autour de moi, ils ricanent, ils prennent leur temps, ils s'interpellent sourdement, ils grandissent, ils deviennent rouges, ils sentent trop fort, ils se rapprochent. Réveillez-moi. Ils me cognent avec leurs poitrines. Ils me bousculent à coup de hanches. Je tombe dans le puits. Réveillez-moi. Un mur de chair m'entoure. Il se rétrécit, hérissé de dards empoisonnés. Réveille-toi. Réveille-toi, Judith. Le fer rougi au feu s'enfonce dans mon ventre, il me cloue au poteau. Ça fume, ça sent la viande brûlée. Mes dents tombent, mes cheveux tombent, ma peau tombe. Je suis nue. Totalement. Une écorchée, édentée, chauve. C'est pendant la réception de l'ambassadeur. Les femmes en tenue de soirée me regardent. J'ai honte.

Annie prend la main de sa mère. Celle-ci sort de son rêve.

JUDITH

Laisse-moi, Annie. J'ai fait un cauchemar. Laisse-moi. Où est Roy? Oh et puis non, me le dis pas. Je veux pas le savoir. Je veux plus rien savoir, plus rien savoir. Je suis veuve. En tout cas, Moïse est vivant. Je l'ai mis sur le fleuve. Les Égyptiens ne le tueront pas. Il reviendra. Un jour, il reviendra. Il sera le roi.

Elle se met à chantonner. Les enfants sont très attentifs, pas tellement effrayés par cette apparition de Judith Roberge. Ils restent un moment silencieux.

RICHARD

Bon, ça va faire! Allez chercher les caisses.

SANDY

Où est Freddy?

RICHARD

On n'a pas besoin de lui. Tu vas m'obéir. Robert, accompagne-la.

ROBERT HOULE

Oui, boss.

RICHARD

Marie-Jeanne il y a chez vous dans la soupente un grand tapis et un rideau. Vas-y avec Nelson. Et rapporte-nous ça tout de suite. C'est pour le toit.

NELSON

O.K. boss.

ANNIE

Et moi qu'est-ce que je fais?

RICHARD

Toi, tu restes avec moi. Puis tu balayes.

JUDITH

Je veux jouer avec vous.

RICHARD

Va-t'en, t'es trop vieille.

Elle sort en chantant.

Robert et Sandy rapportent des caisses de coke, des cartons de bière, des bouts de contreplaqué. Tous les enfants construisent une cabane. C'est un jeu très long. La construction de la cabane se fera sur un rythme autre que théâtral. C'est un jeu d'improvisation dans lequel on voit se manifester le pouvoir de Richard, le rôle de lieutenant de Robert Houle, les relations amicales entre les jumeaux et Annie Williams. Quand la cabane est construite, les enfants s'arrêtent. Ils sont désœuvrés. On entend une musique rock venant de loin. Inaction. Le dimanche après-midi platte. Tout le monde est avachi. Espèce de méditation avec des trous dans le temps, atmosphère assez lourde. Arrivée de Freddy. Richard le regarde longuement. Ils s'étendent tous les deux au sol.

FREDDY

Hey ! Vous avez fait une cabane ?

RICHARD

Tu vois bien. *(Silence.)*

MARIE-JEANNE

Moi, mon père, il est vivant. Il rentre tous les soirs à la maison. Je le vois pas souvent mais il est là. Je le sens. La nuit, quelques fois je me réveille. Je les entends, mon père et ma mère dans leur chambre, ils parlent, ils rient, ils font des drôles de bruits, ils font trembler la maison. Mon père, il ronfle très fort. Il y a personne qui ronfle aussi fort que mon père.

SANDY et NELSON, *en même temps*

Moi j'ai jamais connu mon père. Lou Birkanian dit toujours qu'il est passé par Panama pour conquérir une île du Pacifique. C'est loin ça le Pacifique.

ROBERT HOULE

Moi mon père il est dedans. Il sortira quand j'aurai dix-huit ans. C'est vieux ça, dix-huit ans.

ANNIE

Moi mon père il a été mangé par les anthropophages. En Amazonie.

FREDDY

Moi mon père, il vend des légumes au marché Jean-Talon.

ROY

J'ai plus de père. J'aime ça qu'il soit mort. C'était un faiseux de prières. Un fatigant. Il m'achalait tout le temps. Il voulait pas que je vende mes chats au Chinois. Il m'achalera plus maintenant. Mon père, il est parti comme missionnaire au Brésil et il s'est fait manger par les Indiens. Tout le monde peut pas dire ça de son père.

RICHARD

Moi, mon père c'était le roi. Il est mort à la guerre. En Azerbaïdjan. Il a conquis toute la plaine jusqu'au golfe persique. Je suis l'émir de Tabriz mais un jour je serai un aussi grand roi que mon père. Ma mère c'est la Reine mère.

ROBERT HOULE

Je veux pas parler de ma mère.

SANDY et NELSON

Je sais pas qui c'est ma mère. Lou Birkanian me l'a jamais dit. Elle est peut-être morte.

ANNIE

Ma mère, elle est folle.

Rythme

MARIE-JEANNE

Ma mère, elle est très belle. Elle a toujours des bagues, des colliers. Elle se beurre la face de toutes les couleurs. Les gens d'en face, ils disent qu'elle est sexy.

RICHARD

Ma mère, c'est la Reine mère.

FREDDY

Ma mère, elle vend des légumes au marché Jean-Talon.

ROBERT HOULE

Je veux pas parler de ma mère.

ROY

Ma mère, c'est ma mère. Elle est raide folle; mais c'est ma mère.

RICHARD

On est tous bien emmanchés. Race de monde!

ANNIE

Heïe, Richard! Est-ce que tout le monde meurt? Comment on fait pour mourir?

RICHARD

La mort n'existe pas!

FREDDY

C'est platte, vos histoires.

RICHARD, *se levant en sursaut*

Debout, tout le monde! Emparez-vous du Sultan de Bakou. Ah! Ah! sultan, ma ruse a réussi. Tu croyais m'endormir dans les délices de ton camp retranché, mais tu avais compté sans ma vigilance. Emmenez-le et passez-le à la poêle à frire.

Robert Houle et Nelson Trapp emmènent le Sultan. Annie s'élance.

ANNIE

Freddy !

RICHARD *la rattrape*

Silence, sultane ! Lèche-moi les pieds. Je suis l'émir de Tabriz et désormais Tabriz fera la loi à tout l'Azerbaïdjan. Prosterne-toi devant moi.

ANNIE

Jamais !

RICHARD *fait comme s'il avait un revolver*

Pan ! Tu es morte. Tombe. Tombe d'abord.

ANNIE

Je ne suis pas morte.

RICHARD

Pan ! Pan ! Pan ! Tu es morte, que je te dis !

ANNIE

Non, je ne joue plus ! Je rentre à la maison.

RICHARD

Tu sais pas jouer ! *(Elle sort.)* La sultane est morte, elle s'est jetée du haut des remparts, elle s'est empalée sur les piquets de clôture. Buvons.

SANDY, *se tordant les bras*

Ah, Richard ne bois pas à la coupe. Elle est empoisonnée. Je me repends. Le feu brûle mes viscères. Damnation ! C'est comme un rasoir qui déchire mon corps petit à petit, et je t'assure que ce n'est pas agréable. Le sultan m'avait séduite, c'est pour lui que je t'ai trahi, c'est pour lui que j'ai perdu mon âme immortelle. Va dire aux anciens de ma tribu que leur enfant est morte par amour. *(Elle meurt.)*

RICHARD

Qui d'autre m'a trahi. Toi ? Toi ? Toi ?

FREDDY

Ma destinée s'achève. Richard, tu ne m'humiliras pas plus longtemps. Le Sultan de Bakou va disparaître mangé par la tyrannie de l'émir de Tabriz. Comme les ombres errantes qui peuplent la nuit savent qu'elles doivent s'évanouir quand viendra l'aurore, ainsi, ombre qui n'ai vécu qu'en rêve, je m'éclipse devant le soleil de Richard. *(Il se tue.)*

RICHARD

Regardez cet homme. Il a su mourir. Qu'on lui fasse de grandes funérailles.

Entre Judith Roberge accompagnée de sa fille Annie Williams. Elle apporte une chaudière remplie d'épis de blé d'Inde. Elle chantonne un cantique méthodiste en anglais. Tous se déguisent avec des chiffons et prennent à la main les épis qu'ils découvrent. Ce sont à la fois des épées, des cierges, des bâtons de commandement. La fête funèbre s'organise.

MARIE-JEANNE

Que dans le même cortège une place soit faite à cette femme infortunée ! Elle a aimé. Elle est morte. Laissons notre compassion recouvrir de son voile les amants que la vie a meurtris. Nous leur devons une double vénération.

Tous reprennent en chœur le chant méthodiste.

RICHARD

Mais voici nos reines irréconciliables qui se joignent à nos chants de deuil, comme si leur haine devait faire une pause. *(En effet entrent sur leurs échasses Lou Birkanian, Catherine Ragone et Madame Roberge. Elles chantent le chant, elles aussi.)*

Et enfin, le vénérable fondateur de la race, Filippo Ragone, dit le Débile, il n'a pas voulu être de reste même si sa voix enfouie dans le secret de son âme ne peut plus se faire entendre. *(Filippo Ragone se joint au cortège. Tous chantent.)*

Étrange procession! Qui portons-nous au cimetière au rythme de ces chants funèbres? Qui disparaît à tout jamais dans le brouillard du temps?

Ainsi s'éloigne sur le fleuve la voile blanche du navigateur. Ainsi s'efface au vent la trace d'un pas dans le sable. Ainsi fond la dernière neige. Ainsi s'achève l'enfance de Richard.

Le cortège sort en chantant à tue-tête. Fanfares.

FIN

III

LE PRINTEMPS DU ROI BOITEUX

Où le jardinier, beau parleur, dialogue avec ses fleurs.

Où Catherine Ragone décide d'interrompre son veuvage et d'installer Robert Houle dans son lit.

Où Freddy Dubois demande à Roy Williams d'organiser le dépucelage de Richard.

Où l'on voit s'accomplir l'amour des jumeaux, Nelson Trapp et Sandy Sparks.

Où Lou Birkanian raconte sa nuit de noces.

Où l'on retrouve Alcide Premier en Azerbaïdjan et ses entourloupettes pour tricher sa femme du Caucase.

Où l'ombre de François Premier dit son mot sur le rut universel.

Où la femme du Caucase se venge cruellement d'Alcide.

Où Annie Williams et Richard Premier copulent.

Où Alcide Premier meurt héroïquement.

Où Richard Premier entre dans la vie active. Le temps des mouches est terminé. C'est maintenant le temps des abeilles.

1

Entre le jardinier. Il pousse une charrette dans laquelle il y a douze casseaux de fleurs. Il les installera tout autour de l'aire de jeu. Il parle à ses fleurs. Il est incommodé par des mouches. Il les chasse en parlant.

LE JARDINIER :

(1er casseau) Eh bien, Joséphine!, qu'est-ce qui t'arrive aujourd'hui? T'es pas contente? Tu t'es levée de mauvaise humeur? Tu voulais rester au lit, paresseuse! Le lit... le lit... c'est pas tout dans la vie. Allez, viens-t'en faire un petit tour par en arrière. Faut voir le monde. Là, sois sage! Et toi, Germain, tâche à pas lui faire de farces. T'as compris! Elle est pas bien réveillée. Énerve-la pas. Attends. Elle va sortir la tête, ça sera pas long. Si tu la brusques pas, elle sera gentille. Tu vas voir, elle sera gentille. Hein, Joséphine, tu seras gentille?

(2e casseau) Allons, bon! Qu'est-ce qu'ils ont encore fait ceux-là? Haïe là! Wooh, back! Mes impatients, mes vivaces, va falloir vous calmer sinon je me fâche. O.K.? Léopold, arrête-moi ça! Arrête! Pis d'abord, tourne-toi de l'autre bord, mal élevé! Et toi, Marguerite, baisse la tête! Vas-tu baisser la tête? Bon. Toi, recommence pas ou je te mets en pénitence à côté de Sébastien. Tiens, celui-là il reprend! Je pensais qu'il était dû pour mourir. Ça va-tu, Sébastien? Tu reprends vie, mon petit bonhomme. Tu vois que j'ai eu raison de te mettre un tuteur. Arrête donc de te tordre de même. C'est

le temps de te redresser. Tu as soif? Attends! Attends! T'impatiente pas. Je vais te donner à boire. *(Il lui donne à boire avec un compte-gouttes).* Ça suffit, faut pas que tu gonfles.

(3ᵉ casseau) Ah! vous autres, c'est une autre affaire! Claude, Joseph, Armand, Colette, toute la famille. La gang des Fleury. Mauvaise graine. Maudite race. Je sais plus quoi faire avec vous. J'ai tout essayé, ça a jamais rien donné. Pas capable de vivre comme du monde. Savoir même si vous voulez vivre? Haïe, les bâtards. Vous voulez vivre? Ben, répondez! Vous voulez vivre? O.K., pis shit! Allez vous faire mettre! Je m'en sacre d'abord. Faites comme vous voulez, je m'en sacre. Mais vous viendrez pas dire par après que je me suis pas occupé de vous.

(4ᵉ casseau) Angélique... Toi, tu es belle. Occupe-toi pas des autres. Ils sont tous jaloux. Tu leur fais honte, tu es trop belle. Tiens! Tu as deux feuilles de plus aujourd'hui! C'est doux, c'est tendre, c'est vert. On dirait que ça jute par en dessous. Continue toute seule, ma chérie. Aie confiance. T'es la plus belle.

(5ᵉ casseau) Vous, j'ai rien à vous dire! Je vous aime pas.

(6ᵉ et 7ᵉ casseau) Vous non plus, je vous aime pas! Pourtant vous faites jamais de trouble. Toujours bien propres, bien alignés, tout droits, tout raides comme des vieux garçons. *(Il se tape la joue.)* Saleté de mouches! Elles sont collantes à matin. Je sais bien qu'elles font leur job mais elles sont collantes en câlice! Hein, les messieurs, vous savez déjà tout ce qui vous attend. C'est écrit dans les livres. Pas de problème. Y a rien qui vous fait peur, rien qui

vous étonne. Pas de problème. Maudit, qu'ils sont plattes!

(8e casseau) Là, il va y en avoir des problèmes... Avec vous il y a toujours des problèmes, mais ça vient plus tard, en pleine saison. Menteurs, filous! Arrêtez-moi vos singeries. Oh! pis non, c'est peut-être mieux de même. Qui c'est qui peut dire comment tout devrait se passer? Faites donc comme ça vous tente. Aujourd'hui on est bien ensemble, pas vrai? On se donne du plaisir. Profitons-en, toujours ça de pris. Demain c'est une autre affaire. *Tomorrow is another day.*

(9e et 10e casseau) Moi, là, je vous comprends pas pantoute! La même terre, les mêmes graines, le même soleil... Pis vous à gauche, vous êtes tout forts. Et vous autres, les demoiselles coiffées, on dirait que vous êtes passées au four. D'où ça vient? Qu'est-ce ça veut dire? Vous me faites la tête? Vous voulez pas de moi? Vous voulez me punir? De quoi? M'as vous changer de place. Vous à droite et vous autres à gauche. On va bien voir ce que ça donnera. Mais changez pas d'humeur. Sinon ça revient au même.

(11e casseau) Rien. Toujours rien. Qu'est-ce qui va pas là-dedans? Qu'est-ce qui vous manque? La graine est là. La terre est chaude comme faut. C'est humide, c'est gluant. Ça colle au doigt quand tu enfonces et en même temps c'est plein de recoins pour accrocher la semence. Mais il y a rien à faire. Ça vient pas. Ça veut pas venir. Pourtant, je vous parle. Je vous appelle tous les jours. Je vais encore essayer. Claire. Violette, Marie, Garance, Jacinthe, Marjolaine, Louis, Narcisse, Valérie, Achille, Pierrot, Rosanna! Qu'est-ce que vous attendez pour venir? Venez donc! Venez-vous-en vite! Bientôt ça sera

trop tard. Le temps retourne jamais en arrière, c'est le printemps. Manquez pas ça!

(12ᵉ casseau) Pis c'est vous les derniers. Vous, je sais même pas à quoi ça sert que je vous parle. Une bande d'indépendants, voilà ce que vous êtes. Vous fricotez vos petites affaires tout seuls. Vous étalez vos calices. Vous sortez vos étamines. Vous faites juter vos pistils en grouillant, vous effeuillez vos corolles, vos palais velus. À chaque fois ça recommence de même et jamais personne vous a rien appris. Vous voulez rien savoir. Vous savez toutte. Hein François? Hein Lucille? Vous avez toujours le diable au corps. Enfin, le diable...

Bon, ça va comme ça! Ma job est faite. Tout est en place. À demain, mes mignons! J'entends les fanfares. C'est le cortège de Catherine Ragone, la Reine mère. J'ai plus rien à faite icitte. Je m'en retourne chez nous. Y a ma femme qui m'attend. Bouton-d'or. C'est comme ça que je l'appelle. *(Il se gifle.)* Maudites mouches!

Il sort.

2

Entrent Catherine Ragone. Robert Houle, Lou Birkanian, Madame Roberge.

CATHERINE

Enfin, l'hiver inconfortable achève! On serre la shœclaque, le capot et la mitaine dans les coffres à linge. Les boutons pointent au bout des branches et sous les tee-shirts de couleur. Une salive tiède humecte toutes les lèvres et chaque soir, sous les galeries, l'attente énervante gonflée d'appels, de soupirs, de ricanements exagérés s'installe.

Et nous, les femmes, les femmes seules, nous dominons tout ça du haut de notre balcon. Est-ce que nous en sommes exclues? Les hommes sont ailleurs. À la guerre. Aux champs. Sur les nouveaux chantiers. Bientôt quand ils rentreront, ils s'écraseront dans leur chaise et y berceront leurs bedaines de bière, avant de gagner en titubant le lit où ils ronfleront trop fort. Mais la saison est encore jeune. Les nuits sont fraîches et permettent le repos. Quelques semaines de répit avant la fournaise de juillet.

MADAME ROBERGE

As-tu fini, Ragone, avec tes histoires de température? Pourquoi tu nous a fait venir?

CATHERINE

Pour vous mettre au courant de mes décisions.

LOU BIRKANIAN

Parle, ma belle!

CATHERINE

Depuis la mort de François Premier, mon mari, j'ai vécu l'existence... ah! ah! l'existence! Oui, l'existence de la mère mammifère, allaitant, torchant, laveuse de caleçons, cuisinière, gardienne du nid. Mon hibernage! J'ai supporté la longueur du temps, le viol des tempêtes, la neige lourde. J'ai subi au jour le jour, à la semaine la semaine, les coups de couteau que tu sais donner, Madame Roberge, ta haine pour les Ragone, à commencer par mon père Filippo Ragone, dit le Débile. Tu lui reprochais la mort de ta sœur Angela, ma mère: « C'est Filippo Ragone qui a tué ma sœur. » Tu criais ça dans toute la cour...

MADAME ROBERGE *crie*

C'est Filippo Ragone qui a tué ma sœur Angela!

CATHERINE

Arrête ma tante! Astheure, c'est moi qui parle.

MADAME ROBERGE

Continue ton sermon, mais bave-moi pas dessus! Ma nièce!

LOU BIRKANIAN

Ach! Karakravoy. Repartez-pas la chicane! Dis ce que tu as à dire, Catherine, et chacune s'en ira de son bord. Ça donne rien de se crier des noms à la face comme vous faites.

CATHERINE

J'ai souffert en silence ...

MADAME ROBERGE

En silence! Ça m'étonnerait ben gros.

CATHERINE

Oui, en silence... Face à vos hurlements, vos criailleries sans fin, tes insultes, Madame Roberge, tes rires de sorcière et tes invocations, Lou Birkanian, la petite voix de Catherine Ragone n'était que le soupir d'une vie qui ne veut pas mourir gelée.

MADAME ROBERGE

Achève ta romance et fais ça vite! Tu vas me faire brailler.

LOU BIRKANIAN

Allez, ma Catherine, dis-nous ton affaire!

CATHERINE

Je dis que les temps ont changé, que l'hiver de Catherine Ragone est fini, passé, over. Alcide Premier, le fils de mon François et d'Augustine Labelle morte en couches, a disparu en Azerbaïdjan. Nous n'allons pas user toute notre vie à attendre son retour. Les absents ont tort. La vie continue. J'institue aujourd'hui comme Lord Protecteur du royaume, mon cousin Robert Houle. L'ouragan de Catherine se joint à la houle de Robert pour chasser les senteurs de mort que vous portez. Il aura accès chez moi au balcon, à la table ...

MADAME ROBERGE

Au lit?

CATHERINE

Parfaitement, à mon lit! Je le proclame à tue-tête pour que vous n'alliez pas user vos salives, en cachette, dans les coins de ruelles: « Que se passe-t-il chez la Ragone? Pourquoi sa lampe est-elle allumée à quatre heures du matin? Pourquoi ferme-t-elle sa porte en plein milieu de l'après-midi? D'où peuvent bien venir ces gémissements de chatte en chaleur ? » Ne vous fatiguez plus avec toutes ces questions ! Dites simplement : « Catherine Ragone a un homme dans son lit. Elle s'épuise à l'épuiser. Elle l'a pris raide et fort, elle ne s'arrêtera de remuer sur lui, sous lui, partout, que lorsque leurs deux chairs crieront merci et plongeront dans le sommeil noir. »

LOU BIRKANIAN

Et ton fils, ton Richard ?

CATHERINE

Il n'a jamais entendu qu'une moitié de ma voix. Il faut qu'il apprenne à connaître l'autre. Qu'est-ce que c'est que cette chose qu'il nomme sa mère ? Un corps nourricier ? Une image sainte ? Une protection ? Le maintien respectable d'une maîtresse d'école. La dignité royale ? Tout cela je l'ai été, je me suis parée de toutes ces vertus. Mais maintenant c'est la débâcle. Watchez-vous, les gros chars s'en viennent ! La part de moi-même qui couvait sous la neige et que je lui dois comme l'autre réclame aujourd'hui vigueur et apparence. Il est temps que mon fils marche sa route, qu'il tourne autour de sa mère et découvre son relief au lieu de la plaquer au mur, plate et pâle, icône, pour lui décerner ses adorations.

LOU BIRKANIAN

Tu es belle, Catherine, quand tu te déchaînes comme une lionne, mais ...

CATHERINE

Arrête, Lou Birkanian, laisse ta phrase à son début ! Ne va pas plus loin. N'ajoute pas ce « mais » qui apporte le renoncement. Cette main droite qui retranche, mutile, annule ce que la gauche vient de donner magnifiquement.

MADAME ROBERGE

La Reine mère, putain de son fils!

CATHERINE

Pas la putain. La chienne! Je ne lui vendrai rien. Je veux qu'il m'ait toute entière, gratuitement, à portée de la main, qu'il me voie, qu'il m'entende, qu'il renifle mes odeurs de printemps, qu'il caresse ma peau ...

MADAME ROBERGE

Allez, dis-le donc, qu'il te fourre!

CATHERINE

Pourquoi pas? Ça te fait peur, Roberge? Pas moi!

MADAME ROBERGE

Le vice, le vice Ragone! C'est dans la race, c'est dans le sang. Le vice que ton père, Filippo Ragone dit le Débile, t'a enfoncé jusqu'aux tripes le jour où il t'a déviergée, le vice qui a tué ma sœur Angela, ta mère!

CATHERINE

Je n'aimais pas ma mère!

MADAME ROBERGE

La douceur, le calme d'Angela...

CATHERINE

L'ennui résigné de ma mère.

MADAME ROBERGE

L'inlassable dévouement d'Angela...

CATHERINE

La sécheresse du corps de ma mère.

MADAME ROBERGE

La vertu — oui la vertu, tu peux ricaner — la fidélité, l'honnêteté sans faille d'Angela.

CATHERINE

Hurlez! Hurlez toutes les louves rousses de ma vie, hurlez à mort sur la tristesse, les soupirs, les maladies de cœur et le désespoir de ma mère!

Madame Roberge se précipite sur le douzième casseau de fleurs, le renverse, le piétine.

MADAME ROBERGE

Voilà ce que je fais de toute ta race de dégénérés! Voilà ce que je fais à ton fils, le boiteux.

CATHERINE

Hors de ma cour, ordure! Hors de mon jardin, pisseuse de marde!

Elles se battent. Entre Judith Williams, hagarde.

JUDITH

Il n'avait pas vingt ans. Il était beau. Il avait des yeux qui riaient même quand sa bouche était sévère. Sa bouche courait sur mon corps. Il mordait mes seins. Il léchait mon ventre. Il fouillait ma motte. Sa graine caressait mon bouton. La sève me montait jusqu'aux lèvres. *(Elle bute sur le casseau renversé.)*

CATHERINE

Ah! Ah! Voici la race des Roberge à son meilleur! Soigne donc ta sœur, Emma, au lieu d'écornifler les autres.

JUDITH

Qu'est-ce c'est ça? Qu'est-ce que c'est donc ça, batêche? Pourquoi vous avez défoncé mon jardin? Maudite race de malfaisants! Dépêchez-vous plutôt! C'est le jour de cueillette, c'est la dernière heure. Les gars de la ville vont passer. Sortez les poubelles. J'entends leur machine dans la ruelle. Ils tournent le coin des Larose. Vite, ramassez toutte, ramassez toutte ça qui traîne à terre...

Elle prend de la terre dans une main, fait couler de la salive et remue avec son doigt.

JUDITH

C'est le marécage de l'Amazonie qui a mangé mon prince. Les sauvages arrivent, ils sont tout nus. Ils sont recouverts de boue. Ils sont bandés comme des chevaux...

Elle regarde son doigt enduit de boue noire. Elle met sa main sous sa robe.

JUDITH

Aïe, fais-moi venir mon enfant de chienne! Attends, va pas trop vite! Plus haut, plus haut que je te dis! Pas là, sacrifice! Là, tu y es... Frotte, tourne, glisse... Plus fort! Plus vite! Plus vite, hostie! Enfonce un peu! Non, reviens! Aïe!

LOU BIRKANIAN

Emma, fais quelque chose!

MADAME ROBERGE

Viens-t'en, Judith! Tu vas rentrer chez vous. Je vais te faire un bon jus d'orange avec des glaçons.

JUDITH *éclate de rire, toute joyeuse.*

Vous pourrez pas y échapper. Moïse reviendra un jour, sacrament! Il débarquera icitte avec ses femmes afro-asiatiques et ses éléphants. Il fera tomber les colonnes du temple. Il écrasera tous les esclaves du café Spartacus. Et moi, je chanterai comme autrefois.

Très professionnelle, elle commence par faire le prélude de l'orchestre : Bou, Bou, Bou, Bou, Bou, Bou, Bou, Bou, Bou, *puis chante à pleine voix :*

JUDITH

Ah, goélands de mon pays
Je revois votre danse folle
Elle m'apporte la parole
De ma lointaine Gaspésie

(Elle crie :)

Je chanterai comme autrefois !

Elle éclate subitement en sanglots. Elle tombe à terre. Madame Roberge et Lou Birkanian la relèvent et l'entraînent dehors.

CATHERINE

Viens-t'en, Robert. Maintenant, tu vas rentrer dans ma maison. C'est le temps.

ROBERT HOULE

Je vous aime, Madame Premier.

CATHERINE

Qu'est-ce tu dis ? Dis jamais ça, tu as compris ! Dis jamais ça...

ROBERT HOULE

J't'aime, Catherine.

CATHERINE

Dis jamais ça !

Elle se sauve en courant. Robert Houle la suit.

3

Entrent Freddy et Roy.

ROY

Hello, Freddy, tu as l'argent?

FREDDY

Y a pas d'argent. Tu le sais bien, Roy. Mais j'ai deux chats, un lapin et trois pigeons du carré Viger.

ROY

Morts?

FREDDY

Oui.

ROY

J'aime pas ça. J'aime mieux quand ils sont vivants.

FREDDY

C'est la même chose.

ROY

J'aime mieux quand ils sont vivants.

FREDDY

Pour les tuer toi-même?

ROY

Oui.

FREDDY

Ça fera quand même?

ROY

Je veux deux pigeons de plus.

FREDDY

Roy, tu sais bien qu'on aura pas le temps.

ROY

Deux pigeons ou je lâche toute l'affaire.

FREDDY

O.K. Tu les auras. Quand?

ROY

Demain soir à dix heures. La mère aura pris ses pilules. Elle dort comme une vanne jusqu'à trois heures du matin. Après, elle se réveille et elle fait du ménage. Faut que tout soit fini avant ça.

FREDDY

Où?

ROY

Dans le jardin des Larose derrière chez vous.

FREDDY

Tu apportes le matériel?

ROY

J'apporte toutte ce qui faut. Deux pigeons de plus!

FREDDY

O.K. Roy. Demain soir. À dix heures.

Ils sortent.

4

Entrent Nelson et Sandy.

NELSON

Tiens-moi pas la main. On va se faire remarquer. Ils vont tous nous achaler.

SANDY

Qu'est-ce ça peut faire?

NELSON

J'ai bien vu comment les gens nous regardent. Ils commencent à parler sur notre dos. Hier j'ai entendu Emma Roberge qui disait à Madame Larose: «Les jumeaux, on dirait qu'ils sont pas malheureux ensemble et quand je suis passé près d'elles, elles ont pris un air gêné, elles ont arrêté de parler.

SANDY

On n'est pas malheureux ensemble?

NELSON

Non.

SANDY

Je suis heureuse, Nelson.

NELSON

Moi aussi.

SANDY

Nelson, tu crois que ça va durer longtemps?

NELSON

Ça a jamais commencé, ça finira jamais...

SANDY

Il y a du monde qui disent que ça se peut pas.

NELSON

Ça se peut pas, mais ça existe. Je veux rien savoir d'autre.

SANDY

Nelson!

NELSON

Sandy?

SANDY

Mamette, tu crois qu'elle sait?

NELSON

Certainement.

SANDY

Pourquoi qu'elle nous dit rien?

NELSON

Elle est pas contre, j'imagine.

SANDY

Tu crois qu'elle le savait avant?

NELSON

Lou Birkanian sait toutte avant que ça se passe... Elle voit toutte dans ses cartes. Elle sent du bout de ses doigts toutte ce qui doit arriver.

SANDY

Alors pourquoi elle a rien fait pour nous empêcher?

NELSON

Elle savait que ça devait arriver.

SANDY

Moi aussi, je le savais.

NELSON

Moi aussi.

SANDY

J't'aime, ma petite sœur.

NELSON

J't'aime, mon grand frère. Tu es vieille, tu es née une heure avant moi. Tu as été toute seule pendant une grande heure.

SANDY

Je veux mourir une heure avant toi.

NELSON

Je veux pas que tu meures.

SANDY

Viens sous les arbres. On va s'embrasser.

NELSON

On va se faire l'amour.

SANDY

Je peux pas m'en passer.

Ils sortent.

5

Entrent Richard et Filippo Ragone.

RICHARD

Grand-père !

FILIPPO RAGONE

Yeh.

RICHARD

Puis d'abord, tu as pas besoin de jouer le débile avec moi ! Je connais ton secret.

FILIPPO RAGONE

Yeh.

RICHARD

Grand-père, les femmes c'est quoi au juste ? Une femme comment c'est faitte ? Ta femme, Angela, elle était comment ?

FILIPPO RAGONE

Elle était magnifique.

RICHARD

Ça veut dire quoi ?

FILIPPO RAGONE

Magnifique.

RICHARD

Pourquoi qu'elle s'est tuée ?

FILIPPO RAGONE

Je sais pas. Je sais plus. Y a trop longtemps que ça s'est passé. Occupe-toi pas de ça, chacun ses affaires.

RICHARD

Grand-père !

FILIPPO RAGONE

Yeh.

RICHARD

Quand un homme va avec une femme. Tous les deux ensemble, tu sais, là, tout seuls, tout nus comme dans les vues, ils se démènent, ils s'essoufflent, ils s'époumonnent, on dirait des coureurs à la fin du trajet. Qui c'est qui gagne ?

FILIPPO RAGONE

Pourquoi tu me demandes ça ?

RICHARD

Je suis jamais allé avec une femme. *(Filippo éclate de rire.)* Arrête de rire ! Arrête de rire ! M'as te tuer, tu as compris. M'as te tuer, le débile, si tu continues à rire de même. Ils risent tous de moi. Ils risent dans mon dos. Ils disent que je suis pas capable. Ils me jouent des tours. Samedi matin, ils m'ont envoyé chez Germaine Dubois pour porter la commande d'épicerie. Je suis arrivé chez elle, elle s'arrachait les poils des jambes avec des plaques de cire. Puis quand elle m'a rendu mon change, elle m'a pris comme ça avec ses ongles peinturés rouge et elle m'a enfoncé le nez entre ses deux tétons. J'ai failli étouffer. Je me suis sauvé. Même que j'ai oublié mon tip sur la table de cuisine. *(Filippo éclate de rire.)* Arrête de rire, sacrament !

FILIPPO RAGONE

Et toi, arrête de faire le bouffon, sacrifice ! Quand le temps est venu de manier le bilboquet, faut être niaiseux en Christopher pour continuer à fabriquer des pâtés de sable. Déniaise-toi, maudit! Fonce, tranche, saute, jette-toi à l'eau!

RICHARD

Je sais pas nager.

FILIPPO RAGONE

Qu'est-ce que ça peut faire? On ne se noie pas dans cette eau-là. Et puis, de toutes façons, faut y passer, le plus tôt c'est le mieux.

RICHARD

Pourquoi la grosse Germaine Dubois elle m'a enfoncé le nez entre ses deux tétons?

FILIPPO RAGONE

La charité chrétienne!

RICHARD

J'aime pas ça. Je veux pas qu'y ait des ongles peinturés rouge qui me prennent le cou par derrière. C'est comme un râteau de jardinier. C'est comme un pic à glace.

FILIPPO RAGONE

Richard!

RICHARD

Ouais!

FILIPPO RAGONE

C'est le temps. C'est le printemps. Tu peux rien contre ça. Profites-en donc au lieu de te râper jusqu'au sang.

RICHARD

Le temps c'est pas mon boss, c'est pas mon roi. Je ne suis pas l'esclave du temps. Je suis Richard Premier. Mon père avait son palais dans les jardins suspendus de Babylone. Où sont les courtisanes vêtues de voiles transparents ?

FILIPPO RAGONE

Tais-toi, morveux ! Range-moi ben vite toutes tes histoires de bandes dessinées. Dépense pas tes cents à l'*Erotic Sensual Theatre* de la rue Bourbonnais. Roi ou pas roi, courtisanes ou pas courtisanes, un jour faut y passer, et fais-toi-z-en pas, ce jour-là y a personne qui est plus malin qu'un autre. C'est la première fois. Et la première fois, tu as beau faire, tu te sens toujours le roi des tapons... Puis je suis tanné, laisse-moi regarder les fleurs, elles sont moins achalantes que toi !

RICHARD

Dis-moi...

FILIPPO RAGONE

Yeh...

RICHARD

Parle-moi !

FILIPPO RAGONE

Yeh !

RICHARD

Va-t'en pas tout de suite !

FILIPPO RAGONE

Yeh ! *(Il sort).*

RICHARD

Hé bien alors il faut en décider ! Ils grouillent tous autour de moi comme les mouches noires au mois de mai dans les marécages de Varincourt. Puis ils bourdonnent sans arrêt : la première fois, la première fois. Non ! Pour moi ça sera la dernière, la dernière humiliation. Je ne supporterai pas un jour de plus les gros tétons de Germaine Dubois, les noces morganatiques de Marie-Jeanne Larose et d'Alcide Premier, mon demi-frère, mon rival. Je déteste l'accouplement incestueux des jumeaux, ils sentent la framboise, le foin coupé, le jus de pomme. J'haïs ça, ça m'écœure. Je vois ma mère, j'entends les soupirs de ma mère dans les houles du printemps. Pour la dernière fois !

Freddy ! Freddy, réponds quand je t'appelle !

Freddy entre

FREDDY

Qu'est-ce que t'as ?

RICHARD

C'est pour ce soir ?

FREDDY

Oui.

RICHARD

Écoute-moi bien. C'est moi qui décide, O.K. ! C'est moi qui ordonne. C'est moi le boss et toi tu exécutes mes volontés.

FREDDY

Oui, Richard.

RICHARD

Va-t'en ?

Ils sortent chacun de son côté.

6

Entre Lou Birkanian, suivie de Marie-Jeanne Larose.

LOU BIRKANIAN

Lâche-moi ! Mais lâche-moi donc à la fin des fins ! Je t'ai dit que je voulais pas.

MARIE-JEANNE

À chaque fois tu dis que tu veux pas, pis au bout de l'affaire tu acceptes toujours. Tu aimes ça te faire prier.

LOU BIRKANIAN

Marie-Jeanne Larose ! Je te le dis bien net. Viens pas me coller comme tu fais, je te dirai rien sur Alcide Premier.

MARIE-JEANNE

Pourquoi ?

LOU BIRKANIAN

Parce que ça te regarde pas. Et moi non plus.

MARIE-JEANNE

C'est mon mari.

LOU BIRKANIAN

Ton mari, ton mari ! À ce compte-là, moi je suis mariée au calife de Samarkand, à l'Ayatollah Khalkali, à Jésus-Christ sur sa croix.

MARIE-JEANNE

Tu as été témoin de mon mariage.

LOU BIRKANIAN

Arrête-moi ça ! Arrête-moi ça tout de suite ! Des jeux d'enfants c'est des jeux d'enfants et rien de plus.

MARIE-JEANNE

Un mariage c'est un mariage et rien de plus.

LOU BIRKANIAN

Entêtée, mauvaise, tête de chameau, *arkounian, Bralitek semagronioulcrach !*

MARIE-JEANNE

Oh, Lou Birkanian, je suis sûre que tu viens de sacrer dans ta langue ! Qu'est-ce ça veut dire ?

LOU BIRKANIAN

Ça veut dire que le démon Brali t'arrache la matrice et t'en fasse un chapeau. Tu vois ce que tu me fais dire ?

MARIE-JEANNE

J'aime ça quand tu parles dans ta langue !

LOU BIRKANIAN

Je crois bien que je l'ai toute oubliée, sauf les sacres.

MARIE-JEANNE

Comment tu dis les yeux ?

LOU BIRKANIAN

Oratoun.

MARIE-JEANNE

Et les lèvres ?

LOU BIRKANIAN

Bôtel.

MARIE-JEANNE

Et les seins ?

LOU BIRKANIAN

Asimian.

MARIE-JEANNE

Et... ça?

LOU BIRKANIAN

Il y a beaucoup de noms.

MARIE-JEANNE

Dis-les-moi!

LOU BIRKANIAN

Albokly, Stomilaz, Pek, Choulin, Tilissi, Tchémackka, Ordiniezjakidzé, Karsou. Et il y en a beaucoup d'autres moins convenables.

MARIE-JEANNE

Lou Birkanian, la première fois, comment ça s'est passé pour toi?

LOU BIRKANIAN

Tu veux encore me faire parler?

MARIE-JEANNE

Je veux savoir. Raconte, Mamette!

LOU BIRKANIAN

Vous me faites toujours tout raconter.

MARIE-JEANNE

Tu es là pour ça, non?

LOU BIRKANIAN

Peut-être...

MARIE-JEANNE

Raconte!

LOU BIRKANIAN

Dans ce temps-là, dans mon pays, les filles étaient bien différentes de ce que vous êtes vous autres aujourd'hui. On ne connaissait pas l'homme avant les noces, mais on savait tout. Les femmes bavardent, tu sais, dans les cours des maisons et les filles écoutent en écossant des petits pois. Et de quoi parlaient-elles, les femmes ? De ça, de ça et encore de ça. Heye, ma petite fille, les femmes du Caucase, on ne voit jamais leur visage à découvert dans la rue, elles frôlent les murs, elles marchent vite, elles ferment leurs portes à double tour. Dehors, elles sont farouches, vertueuses, pudiques, mais si tu savais tout ce qu'elles se racontent quand elles sont à l'intérieur ! Entre elles, pendant que les hommes sont aux champs. Elles ne font pas que parler. Elles se montrent leur corps, elles se détaillent, elles se comparent. Elles expliquent où ça se passe, comment ça se fait, combien de temps ça dure. Elles s'indiquent des positions, elles se lancent des défis, elles se donnent des conseils de plaisir, elles échangent leurs expériences des nuits passées et elles rient, elles rient à n'en plus finir. Le rire des femmes de chez nous ! Veux-tu que je te dise : ici, j'ai jamais entendu un rire de même, le rire de la liberté. Pourtant les femmes d'ici disent qu'elles sont plus libres que chez nous ! Tu connais le jeu de la barbichette. « Je te tiens, tu me tiens par la barbichette, la première de nous deux qui rira aura une tapette. » Tu dois rester immobile, sérieuse, figée, garder la même expression sur ta face. Tu ne dois pas broncher. C'est celle qui dure le plus longtemps qui a gagné. Ça se termine toujours par des éclats de rire. La décharge ! Nous autres les femmes, ma petite fille, on sait très bien jouer à ce jeu-là. On se compose une figure quand les hommes sont là et on sait la tenir longtemps : la dignité, l'attention, le plaisir et même la douleur. Mais quand ils ne sont plus là, quand c'est plus nécessaire de faire notre cinéma, alors là, ça éclate, ça se décharge dans le ventre, dans les poumons, dans la gorge. Le rire, le même rire toutes ensemble. C'est ce qui nous purge de cette dignité, cette attention, ce plaisir et même cette douleur qu'on avait singés. Eh oui, même la douleur ! Dans mon pays les hommes avaient le droit de nous donner des coups. Mais nous on se revengeait en leur jouant des tours, des tours magnifiques qu'ils ne remarquaient même pas. C'était ça qui nous faisait rire. Nos ruses et leur suffisance. Aïe, *Karakravoy shrabeckmadin !* Y a pas une femme qui a pas ri des hommes avec ce rire épouvantable. À la fin des fins, tout le monde y gagnait. Eux aussi.

MARIE-JEANNE

Tu me contais tes noces...

LOU BIRKANIAN

Ah ! Mes noces ! C'est le meilleur tour que j'ai joué à mon homme.

MARIE-JEANNE

Comment ça s'est passé ?

LOU BIRKANIAN

La journée s'achevait. La cérémonie avait eu lieu le matin même sur le terre-plein devant la maison du fiancé. Un mélange d'offrandes barbares et de chants orthodoxes. Après, il y avait eu le festin en plein air au milieu des cadavres des trois buffles blancs qu'on avait égorgés selon la tradition. Pendant le repas, le marié, enfin mon mari, avait relevé le défi des douze coupes ; douzes coupes d'arak qu'il a bues d'un seul coup, et après chaque coupe, toute l'assemblée se lève en hurlant : « Vive le marié ! » À la fin du banquet, la nuit tombait, mon homme était saoul raide, je veux dire ivre-mort. On s'est dirigé vers la maison au milieu des acclamations, des tambours, des balalaïkas, des trompettes d'enfants. La fille d'honneur m'accompagnait, le garçon d'honneur soutenait mon mari. On a échangé un drôle de regard par-dessus l'épaule de mon mari qui se traînait, la tête basse, vers l'épreuve décisive. Tu sais, là-bas, il faut prouver à toute l'assemblée que l'homme t'a prise vierge. Le garçon d'honneur m'a cligné de l'œil, comme pour me dire : « N'aie pas peur, ça ira. » Quand on a été tout seuls, mon mari et moi, dans la chambre, dans le lit, j'ai tout essayé, tout ce que j'avais appris des femmes. Rien à faire. Il était trop saoul. Dehors, j'entendais les tambours et les youyous qui s'énervaient. Je me suis affolée. J'ai encore essayé de le remuer, de le faire bander ; impossible. À ce moment-là, j'ai entendu qu'on tapait à la petite fenêtre entre le lit et l'icône du coin. J'ai regardé. C'était le garçon d'honneur. Il avait dû passer par la cour arrière sans se faire remarquer. Il souriait. Je lui ai ouvert. Il est entré. Il a tiré le drap de dessous le corps de mon mari qui ronflait comme un bœuf. On s'est couché sur le drap. Le garçon d'honneur m'a dépucelée. Ça m'a fait un peu mal. C'est normal : la première fois, c'est jamais la grande jouissance. Ça fait mal à toutes les femmes, mais faut rien exagérer, c'est pas le calvaire ! Enfin, bref l'opération s'est achevée correctement. Le garçon d'honneur est reparti par la fenêtre. J'ai attendu un moment, puis je me suis revêtue de mon bel habit de noce plein de dorures. J'ai pris le drap taché de sang. Dehors l'excitation montait, j'avais l'impression que les tambours, les danses, devenaient plus rudes, comme pour exiger leur dû. J'ai ouvert la porte. D'un seul coup il y a eu un silence énorme. Les gens étaient saisis d'étonnement. D'habitude c'est l'homme qui, brandit le drap comme un drapeau. Mais moi j'étais tellement gonflée d'amusement et d'orgueil que je me moquais des habitudes. Je me suis avancée. J'ai jeté le drap, le faisant planer en l'air, à plat, comme j'avais vu faire aux pêcheurs quand ils lancent leurs filets. Le drap s'est étendu sur le sol, on voyait mon sang. Je me suis sauvée dans la maison en éclatant de rire. Mon premier rire de femme. Toute la noce s'est déchaînée à son tour dans un immense éclat de rire. Ils se réjouissaient de mon bonheur évident et de la virilité de mon homme. Par la suite je n'ai jamais fait l'amour avec un autre homme que mon mari, jusqu'au jour de sa mort, six ans plus tard. *Ach!* L'amour!

MARIE-JEANNE

Je ferai jamais l'amour avec un autre homme qu'Alcide Premier.

LOU BIRKANIAN

Presse-toi pas d'affirmer des choses de même!

MARIE-JEANNE

Je le jure.

LOU BIRKANIAN

Jure pas, maudite! Tu ne connais pas l'avenir.

MARIE-JEANNE

Tu sais quelque chose, Lou Birkanian. Tu sais quelque chose sur Alcide. Il est mort et tu ne veux pas me le dire. Il est mort en Azerbaïdjan et tu continues à me le cacher.

LOU BIRKANIAN

Arrête-moi ça ! Je ne sais rien. Je ne sais rien. Je ne sais rien.

Elles sortent.

7

Richard entre. Il porte sa chaussure orthopédique. Il fait le tour des casseaux de fleurs. Il ne dit rien. Musique astrale. Il va regarder les scènes suivantes.

Passent les jumeaux, très clairs. Très beaux, comme au Paradis. Ils traversent la scène et sortent.

Vient ensuite Judith Williams, se tenant le sexe à deux mains. Elle chante une chanson western. Elle va au casseau de terre vide et se barbouille les mains et le visage de boue noire. Elle sort.

Vient ensuite Marie-Jeanne Larose déguisée en mariée. Autour d'elle s'affairent Lou Birkanian et Madame Roberge comme si elles mettaient la dernière touche à la robe de mariée. Les trois femmes sortent.

Entrent Robert Houle et Catherine Ragone. Ils sont nus. Robert porte Catherine devant lui. Elle serre entre ses cuisses les hanches de Robert. Ses cheveux sont dénoués. Le couple s'arrête au centre de la scène. Richard tourne autour. Le couple sort. Richard donne un coup de pied dans le deuxième casseau.

Entre Alcide déguisé en Hercule. Deux femmes d'Azerbaïdjan l'accompagnent. Ils sortent.

Passe Filippo Ragone dans sa chaise roulante. Il heurte le 4e casseau. Il s'enrage. Finalement, il passe et sort.

Richard gagne le centre de la scène. La musique s'estompe.

8

Entre Freddy Dubois.

FREDDY

Richard, qu'est-ce tu fais là?

RICHARD

Rien. Je t'attendais.

FREDDY

Tout est prêt. On va y aller. Tu veux toujours?

RICHARD

Oui.

FREDDY

Faut que je te bande les yeux.

RICHARD

C'est bien nécessaire?

FREDDY

C'est prévu comme ça.

RICHARD

Allons-y.

Freddy bande les yeux de Richard.

FREDDY

Viens-t'en!

Ils sortent.

9

En Azerbaïdjan, Alcide, vêtu en Hercule avec sa massue et sa fourrure de lion, entre. Il est suivi d'une jeune femme voilée qui porte deux valises.

ALCIDE

Assieds-toi ! Ne dis pas un mot. Aie pas peur. M'as t'arranger ça. *(La jeune femme s'écrase au sol.)*

Entre une autre femme voilée. Elle se jette sur Alcide et l'embrasse.

LA FEMME

Alcide, mon homme ! Viens dans la maison. Tout de suite. J'ai besoin de toi. Je suis restée trop longtemps toute seule à t'attendre. Je n'en peux plus. Je suis comme un jardin à sec qui attend la pluie. Viens !

ALCIDE

On a une masse de choses à se dire.

LA FEMME

Après ! Après, nous parlerons. Après, tu me conteras tes exploits. Maintenant c'est toi que je veux, seulement toi. Toi, nu. Moi, nue. Tous les deux pris l'un dans l'autre, comme dans un filet. Ta bouche, ma bouche, tes bras, mon ventre, ta peau mouillée, ta nuque, mon dos, mes poils, tes couilles, ma main, toutes mes odeurs, mes trous, mes bosses, tes cris, mon vertige, ton sexe en moi, tous mes muscles refermés sur toi pour te tenir, te prendre une seconde, une seule seconde, l'arc tendu au bord de craquer et la chute libre avec toi, mon amour. Après viendront les mots comme des vêtements, des bijoux pour se parer, pour se faire voir au monde et aussi pour se cacher l'un de l'autre. Viens!

ALCIDE

Non!

LA FEMME *crie*

Aïe!

ALCIDE

Mes travaux sont achevés. Je pars. Je ne reviendrai pas.

LA FEMME

Aïe!

Elle restera la bouche ouverte pendant tout le discours d'Alcide.

ALCIDE

Écoute-moi donc au lieu de brailler!

Il chante sur une musique d'opéra wagnérien. Il y aura un chœur d'hommes qui apparaîtra comme à l'opéra. Ce sont six guerriers de style turc du XVe siècle.

ALCIDE

Ô Dieux qui guidez mes pas
Ne craignez nulle défaillance
Sur le chemin de la vaillance
Je ne m'arrêterai pas.

LE CHŒUR

Ô Dieux qui guidez ses pas
Ne craignez nulle défaillance
Sur le chemin de la vaillance
Il ne s'arrêtera pas.

ALCIDE

J'ai traversé les océans
Affronté les sombres orages
Lutté d'adresse avec les vents
Abordé aux lointains rivages

LE CHŒUR

Oh, hisse! Eh ho!
Hourrah pour notre héros!

ALCIDE

J'ai tué le monstre aux sept bouches
Dont chacune crachait des flammes
J'ai dompté les chevaux farouches
Et les taureaux du roi d'Annam.

LE CHŒUR

Oh, hisse! Eh ho!
Hourrah pour notre héros!

ALCIDE

J'ai bâti aux marches d'Asie
Une formidable muraille
Y ajoutant par fantaisie
Trois pyramides de rocaille.

LE CHŒUR

Oh, hisse! Eh ho!
Hourrah pour notre héros!

ALCIDE

Jusqu'à la côte Estramadoure
J'ai fait s'étendre mon empire
Et sur les mers qui nous entourent
Cinglent les proues de mes navires.

LE CHŒUR

Oh, hisse! Eh ho!
Hourrah pour notre héros!

ALCIDE, *en récitatif*

Mais un héros ne prend pas de repos
Toujours il va plus loin étendre ses conquêtes
Son désir n'a pas de barrières
Il lui faut subjuguer la terre
Et quand la terre est à ses pieds
Il relève les yeux et vise les planètes.

LE CHŒUR

Les Planètes!
Les Planètes!
Les Planètes!

La musique s'estompe ainsi que le chœur qui sort à reculons.

ALCIDE

Voilà! Tu as entendu toute l'affaire.

LA FEMME

Je n'ai entendu que le mot: «Je pars.» Le reste, c'est un bourdonnement de moustique. Ça ne m'intéresse pas.

ALCIDE

Adieu! Nous partons tout de suite.

LA FEMME

« Nous » ? Qui ça, nous ?

ALCIDE

Moi et cette femme.

LA FEMME

Qui ? Qui c'est ?

ALCIDE

Mon esclave, qu'est-ce tu crois !

LA FEMME *éclate de rire*

Ah ! C'est donc ça. Ce n'est que ça ? Pauvre Alcide, naïf Alcide, pourquoi ne le disais-tu pas au lieu de me chanter ton opéra ? Tu chantes faux, d'ailleurs. Je te le dis en passant, mon cher, je te le dis par amour de la musique, tu le sais bien, et non pas pour te faire de la peine ou pour te déprécier devant cette charmante personne. *(Elle devient très mondaine.)* Chère amie, c'est donc vous la nouvelle conquête de mon vieil Alcide. Entrez donc chez moi, j'ai justement un samovar pour le thé au jasmin qui chauffe dans la cuisine. Nous bavarderons de choses et d'autres en dégustant des loukoums et des blinis, tandis que notre Hercule s'occupera des bagages. Vous coucherez ici ce soir. Non ! Non ! Ne vous excusez pas. C'est tout naturel. Il y a deux belles grandes chambres : l'une donne sur la vallée du fleuve Koura, vous verrez c'est charmant, et l'autre sur les premiers contreforts du Caucase. Enfin vous choisirez vous-même. Nous avons certainement beaucoup de petits secrets et des masses d'histoires à nous conter. Vous venez de si loin. À propos, comment porte-t-on cette année les souliers ferrés en Arménie ? Avec ou sans clochettes ?

Ah, vous allez m'en apprendre ! Je suis si heureuse de faire votre connaissance. Alcide, les bagages !

Les femmes sortent — Alcide suit avec les bagages.

10

Apparaît l'ombre de François Premier dans des nuages bleus et blancs.

FRANÇOIS PREMIER

Je suis l'ombre de François Premier. Depuis de longues années, qui pour moi maintenant se fondent en un seul bloc sans âge, je suis suspendu entre ciel et terre à la verticale du mont Ararat où la femme de ma jeunesse. Augustine Labelle morte en couches, un jour est venue me chercher. Ce n'est pas agréable d'être mort, mais c'est intéressant. De même que la position élevée où je me maintiens — parfois avec difficulté car il y a du vent — me permet, négligeant les détails, de découvrir le vaste monde dans son unité, le grand jardin de la terre enclos dans les étendues océanes avec ses plaines, ses neiges et ses forêts, de même, arrêté dans le temps, je vois s'organiser et trouver leurs contrepoids toutes les saisons des hommes. Je vois la jeune vie d'Alcide, mon premier enfant, arriver à son terme sur ces montagnes de l'Azerbaïdjan, tandis qu'au loin mon second, Richard le boiteux, fils de Catherine Ragone, entre dans son printemps. Je vois l'orageuse Catherine s'engouffrer avec son juillet étouffant dans l'avril de Robert Houle. Je vois les chrysanthèmes de Toussaint, fleurs chéries de cette salope de Madame Roberge, qui s'efforcent en vain d'étouffer les muguets que tiennent à la main Nelson Trapp et Sandy Sparks, les jumeaux. Je vois Annie Williams en fleur, taillée, coupée, vendue au marché par les soins de son horticulteur, Roy Williams son frère, rejeton d'un éternel septembre. Je vois Judith la folle, leur mère, remonter le fleuve de ses âges et sombrer dans les palétuviers que nourrissent les alluvions de mars. Je vois enfin, dans les serres de l'hiver, Filippo Ragone dit le Débile, heurter de sa chaise roulante le casseau où croît la fleur en bouton. Partout Éros triomphe, le sexe, le cul. Étrange constatation légèrement humiliante pour le philosophe éthéré que je suis devenu. Partout en bas, cette poussée énorme pour cet objet négligeable, comme si les dieux sages avaient voulu loger, au cœur même des mécaniques utiles et efficaces de l'univers, la boursouflure essentielle qu'émeuvent seulement le plaisir et ses caprices ingouvernables.

C'est pourquoi je n'utiliserai pas le porte-voix des tonnerres pour crier à tous ces chiens et chiennes en rut : Prenez garde ! Méfiez-vous de la tourmente qui monte de vos ouvertures ! Je préfère laisser tomber une pluie d'or sur l'immense germination du monde.

Avec un petit arrosoir, il arrose de haut les casseaux de fleurs et sort dans ses nuages par le même côté d'où il est entré, en disant : « Tiens, le vent a tourné ! »

11

Freddy Dubois entre, il porte deux sacs. Il parle bas.

FREDDY

Roy, je suis là.

ROY, *à l'extérieur*

J'arrive !

FREDDY

Dépêche-toi !

ROY

Ça sera pas long.

FREDDY

Dépêche-toi, maudit! On va se faire attraper. Qu'est-ce t'attend? Batèche, je suis pas rassuré !

Roy entre, il pousse devant lui un lit-cage refermé avec des bâtons et un grand voile de mousseline jeté en vrac par-dessus.

ROY

Voilà le matériel. Tu as la rançon?

FREDDY

Tout est là.

ROY

Montre !

FREDDY

Regarde.

ROY

Donne-moi-les.

FREDDY

Non. Je t'en donne seulement un. L'autre après.

ROY

O.K. C'est correct.

FREDDY

Et Madame Williams?

ROY

Elle a pris ses pilules. Elle cogne des clous. On a trois bonnes heures devant nous avant qu'elle se réveille. Ma mère se réveille jamais avant trois heures du matin.

FREDDY

Bon, tu vas chercher Annie?

ROY

Tout de suite, mon prince.

Il sort.

FREDDY

Je dois le faire. Je dois le faire. J'ai promis à Richard. Je ne peux plus retourner en arrière.

Rentre Annie Williams, les yeux bandés, conduite par Roy.

ROY

Tiens bon la barre. En avant!

Ils sortent tous les trois, tirant, tenant et poussant l'attelage.

12

Entre Judith Roberge-Williams.

JUDITH

Roy, démon! qu'as-tu fait de ta sœur? Roy! Roy! Roy! Les Indiens débarquent. Qu'as-tu fait de ta sœur?

Elle sort.

13

En Azerbaïdjan. Entre la femme dévoilée portant dans ses mains une tunique de fourrure, bien pliée. Elle attend. Elle a un regard terrible. La jeune femme Leïla arrive elle aussi dévoilée. La femme change de visage. Elle devient tout aimable.

LA FEMME

Bonjour Leïla, avez-vous bien dormi?

LEÏLA

Oui, merci.

LA FEMME

Alcide est réveillé?

LEÏLA

Oui.

LA FEMME

Il est toujours lent à sortir du lit. Au fond c'est un grand paresseux.

LEÏLA

Je ne sais pas.

LA FEMME

Moi, je sais, Leïla, ma chérie, ne sois pas si craintive. Entre femmes nous devons nous comprendre. L'amitié est une belle chose aussi. Pourquoi ne serions-nous pas amies? Leïla, qu'est-ce qui ne va pas? Tu as l'air toute bousculée. Parle-moi. Tu as peur?

LEÏLA

Oui.

LA FEMME

De le perdre?

LEÏLA

Oui.

LA FEMME

Tu voudrais l'attacher à toi? Pour toujours? Jusqu'au jour de sa mort?

LEÏLA

Oui.

LA FEMME

J'en ai peut-être le moyen. Ne me regarde pas avec ces grands yeux de biche affolée. Je possède des secrets. Je peux te les transmettre. Écoute:

Il y a bien des années je suis partie avec Alcide, comme tu le fais aujourd'hui, pour conquérir le monde. Nous avons marché longtemps vers l'ouest. C'était notre but, atteindre la grande mer par-delà les montagnes. Après de longues semaines de marche dans les steppes et dans les prairies à bison, nous sommes arrivés devant le grand fleuve. Il fallait le traverser. C'était comme une barrière infranchissable, une limite. Et tu connais Alcide, il n'aime pas les limites. Moi, je voulais rentrer ou contourner l'obstacle en remontant vers la source bien au sud aussi loin que c'était nécessaire. Lui voulait passer tout de suite et franchir le fleuve. À ce moment-là, on a vu sur l'eau une toute petite chaloupe qui venait vers nous. Un homme la conduisait avec une adresse incroyable, il faisait danser son embarcation au milieu des rapides, il utilisait tous les contre-courants, il semblait sauter sur les roches, s'abandonnait parfois au tourbillon puis avec une vitesse étonnante, d'un seul coup, il filait comme une flèche en biais sur les hauts fonds. L'homme a abordé. Il nous a regardés. Nous l'avons regardé. C'était un gros homme trapu, à la face bestiale, poilu, un peu difforme des jambes. Il portait une tunique de fourrure en chèvre sauvage. Alcide a voulu lui acheter son bateau. L'homme a souri dédaigneusement en montrant le fleuve. Lui seul pouvait s'en tirer parce qu'il en connaissait les moindres remous. La barque était trop petite pour trois. Il fallait que le passeur fasse deux fois le voyage. Alcide a négocié le prix. L'homme m'a embarquée avec lui. Il m'a emportée dans une nage folle, éclaboussée d'embruns. L'homme hurlait comme un fauve devant chaque danger. Il éclatait d'un rire énorme chaque fois qu'il avait surmonté la mort. Quand on est arrivé de l'autre côté, il m'a fait descendre, il a tiré son canot sur la rive puis il a couru vers moi, il m'a arraché mes vêtements, il m'a jetée au sol, il m'a cloué les bras dans le sable avec une force colossale, son ventre écrasait le mien de tout son poids, il m'a pénétrée, mais à ce moment précis, j'ai senti dans son corps un choc et une détente immédiate. Il a roulé sur le côté hors de moi ; son sexe a éjaculé le sperme qui s'est répandu dans le poil de chèvre. C'est alors que j'ai vu dépassant de sa poitrine, à l'endroit du cœur, la pointe de la flèche qui l'avait transpercé. Alcide, de l'autre rive, l'avait tué. En expirant, l'homme m'a dit : « Prends cette tunique pleine de ma semence, c'est un talisman ; une femme qui en revêt le corps d'un homme peut être certaine que cet homme lui sera attaché toute sa vie. » Voici la fourrure, Leïla, je te la donne. Elle a dans le dos le trou que la flèche d'Alcide y a fait.

LEÏLA

Pourquoi ne l'utilises-tu pas contre moi pour le retenir?

LA FEMME

J'y ai pensé quand je t'ai vue. Et aussitôt après, j'ai cessé d'y penser. Tu es belle, Leïla, je ne le suis plus. Tu es jeune, je serai bientôt vieille. Tout cela est plus fort que nous. Je te passe la main. Je te laisse disposer de la vie et de la mort d'Alcide. J'ai eu ma part. Prends celle qui te revient. Accepte mon cadeau.

Entre Alcide portant sa peau de lion sur l'épaule, sa massue sous le bras et deux valises.

ALCIDE

Ça, c'est bien, les femmes! On fait amie-amie à ce que je vois. Bravo! C'est comme ça qu'on devrait régler toutes les affaires de cœur. La jalousie, les histoires, les gnans-gnans, c'est passé de mode. On n'est plus à l'âge de pierre, grands dieux de bons dieux! Merci pour ton accueil, chère femme. Merci pour la bonne nuit que nous avons passée. Tu as toujours des matelas fort confortables. Bon. Eh ben, on va y aller! C'est le temps de nous dire adieu.

LA FEMME

Adieu!

LEÏLA

Alcide, voici le cadeau qu'elle m'a donné. Une tunique pour toi. Veux-tu la mettre?

ALCIDE

Je ne me sépare jamais de ma peau de lion.

LEÏLA

Alcide ! Pour me faire plaisir... Ce sera comme une cérémonie de départ. Une sorte de noce. Je t'en prie.

ALCIDE *dépose ses bagages, sa massue, sa peau de lion*

Allez ! Passe-moi le smoking.

LEÏLA

C'est un talisman. La femme qui en revêt le corps d'un homme peut être certaine que cet homme lui sera attaché toute sa vie.

ALCIDE

Arrête de dire des folleries ! Donne-moi ta peau de bique.

Il met la fourrure. Tonnerre, éclairs, vents. Au milieu de la tempête, Alcide hurle :

ALCIDE

Aïe, horreur ! Un feu insupportable me brûle ! Ma peau est transpercée de fers chauffés à blanc. La fourrure colle à ma chair, l'acide me ronge, un rasoir me taille à l'intérieur. Où ? Où ? Où trouver un apaisement à ma douleur ? Putains, sorcières, vous m'avez trahi.

Il sort en hurlant. La jeune femme fait de même.

LA FEMME

Sic transit gloria mundi !

Elle ramasse la massue, la peau de lion, les deux valises et sort.

14

Entrent Freddy Dubois et Roy Williams. Ils installent au centre de la scène le lit-cage avec une sorte de baldaquin formé par les bâtons sur lesquels est tendu le voile de mousseline. Ils mettent à terre un grand plateau rempli de spaghetti et disposent autour différents sacs et ustensiles. Puis ils sortent l'un à droite, l'autre à gauche. Freddy revient, guidant Richard les yeux bandés, Roy guidant Annie les yeux bandés.

ROY

Enlevez vos souliers!

Annie enlève ses souliers. Richard fait de même, il enlève sa chaussure orthopédique.

ROY

Le linge!

Richard et Annie enlèvent leurs vêtements. Ils restent en bobette et brassière, tous les deux.

ROY

Avancez!

Annie et Richard avancent l'un vers l'autre. Ils marchent dans le spaghetti.

ROY

Tendez la main!

Ils tendent la main, Roy et Freddy placent dans leur main une patte de cochon.

ROY

L'autre main! À plat! La paume vers le haut.

Roy et Freddy versent dans les mains tendues du Jello de couleur.

ROY

La grande caresse!

Roy et Freddy poussent Richard et Annie l'un contre l'autre. Ils se caressent avec le jello, le spaghetti et les pattes de cochon.

ROY

La grande tourmente!

Roy et Freddy prennent des matraques molles et en frappent Annie et Richard. Ils les poussent sur le lit.

ROY

La grande jouissance!

Roy et Freddy ferment le lit avec les rideaux de mousseline. Ils font tourner le lit de plus en plus vite. L'éclairage devient disco. Une musique de tam-tam indien se fait entendre. Tout cela monte jusqu'à un paroxysme. Il y a des cris à l'intérieur du lit. Puis, silence.

ROY

La cérémonie est terminée. Tu rangeras tout le stock dans la shed. Donne-moi le deuxième sac!

Freddy lance le sac à terre. On voit se répandre au sol deux pigeons et un lapin morts. Roy ramasse le tout et s'en va.

FREDDY

C'est faitte. Maintenant c'est faitte. J'ai tenu ma promesse.

Il se cache derrière le lit. Du lit ressortent Richard et Annie, ils n'ont plus les yeux bandés.

ANNIE

Faut que je rentre à maison. Ma mère va se réveiller. Maudit que c'est collant! *(Elle essuie ses mains poisseuses sur le voile de mousseline.)* Oh, goosh! Il y en a partout. *(Ils se rhabillent chacun de son côté.)* Tu viens-tu me chercher demain soir pour aller aux vues? Aide-moi donc, faut faire du ménage. *(Il l'aide à mettre le plat de spaghetti sur le lit.)* Là, c'est correct. *(Elle tire les rideaux.)* À demain! *(Elle lui donne un baiser sur la joue.)* Bonne nuit, Richard! *(Elle sort.)*

RICHARD

Freddy! Enlève-moi ça. Et t'en parles plus jamais. T'as compris! Ça n'existe pas. O.K.! Tu sais rien. T'as rien vu.

Entre Judith, échevelée.

JUDITH

Roy, Annie! Où c'est qu'ils sont passés? Vous les avez pas vus?

FREDDY

Je sais rien, j'ai rien vu, Madame Williams.

Judith sort.

RICHARD

Enlève-moi tout ça !

Freddy évacue le lit. Richard reste seul. Il est complètement rhabillé, sauf la chaussure orthopédique. Il sort en tirant sa prothèse derrière lui.

15

Arrive Alcide porté par les soldats turcs. Il a par moment des contractions de douleur qu'il surmonte héroïquement.

ALCIDE

Non, je ne pousserai pas de cris ! On s'habitue à la douleur. Mais je ne veux pas m'arrêter de parler jusqu'à ce que vous m'ayez transporté au sommet de la montagne. Là, seul, face au soleil, j'insulterai les dieux. Aïe, ça fait mal ! Non, je n'ai rien dit. Je ne souffre pas. Je ne souffre pas. Aïe, arrêtez le cortège, ça me secoue la tête.

Et dites-moi, camarades ? Ai-je failli à mon destin ?

LE CHŒUR

Non.

ALCIDE

Ai-je jamais oublié les lois de la vaillance et de l'honneur ?

LE CHŒUR

Non.

ALCIDE

Ai-je cédé à l'amollissement du cœur et à l'oubli de mes travaux ?

LE CHŒUR

Non.

ALCIDE

J'ai découvert toutes les terres inexplorées.

LE CHŒUR

Oui.

ALCIDE

J'ai bâti des villes, construit des états. J'ai rassemblé ce qui était divisé, séparé ce qui ne formait qu'une masse informe.

LE CHŒUR

Oui.

ALCIDE

J'ai donné aux hommes les moyens d'assurer leur subsistance, j'ai semé, j'ai irrigué, j'ai transformé, organisé, dirigé, développé, instruit.

LE CHŒUR

Oui, ça c'est vrai!

ALCIDE

Le monde que je laisse derrière moi porte ma marque indélébile.

LE CHŒUR

Et comment!

ALCIDE

Alors pourquoi? Aïe, je m'échauffe! Parlons sans passion. Pourquoi cette punition? Pourquoi cette morsure qui brûle ma peau, qui détruit ma vie? Pourquoi moi? Qu'est-ce que j'ai faitte de croche?

LE CHŒUR

On sait pas.

ALCIDE

Aphrodite m'a planté jusqu'à l'os. Ah! Femmes, filles au diable, porteuses de la peste bubonique, destructrices de l'ordre universel, par quel vice me tuez-vous aujourd'hui, moi qui vous ai tant aimées, moi qui vous ai menées aux marches de mes palais? Répondez-moi, mes bons amis, qu'est-ce qu'elles voulaient, hostie? Qu'est-ce qu'elle voulaient donc de plus? Qu'est-ce qu'elles veulent encore? Maudit, qu'est-ce qu'elles veulent?

LE CHŒUR

Ça, il faudrait leur demander...

ALCIDE

Et puis non! Restons entre nous, camarades. Trêve de questions stupides. Reprenons notre marche. En route! C'est le dernier trajet d'Alcide vers les plus hauts sommets. Il s'agit de garder fière allure. Aïe, en route, sacrament! Et chantez fort pour couvrir les gémissements que je ne pourrai pas contenir.

LE CHŒUR

Oh, la marche! Tire, marche! Le temps tire avec toi. Tire, tirera...

Ou une autre chanson du même type mais très chœur russe. Le chœur sort en emportant Alcide dont on entend un «aïe» de temps en temps.

16

Entre Richard Premier, il a remis sa chaussure orthopédique.

RICHARD

Ce qui est fait est fait. Le temps des mouches achève. S'en vient maintenant le temps des abeilles. Il n'y aura plus jamais de première fois. Il n'y a plus de forêt vierge. La terre entière a cessé d'être inconnue, la matière livre ses secrets. C'est dans ce monde aux routes géométriques, dans cet écheveau de trains, de tunnels, de lignes aériennes, dans ce réseau d'ondes qui tiennent la terre prisonnière, dans ces alvéoles organisés pour engranger, multiplier et transformer, dans cette ruche surpeuplée que je veux m'établir.

Mon dard est sorti de moi-même pour la récolte et pour l'assassinat. Je ne le renierai pas.

On entend un vol d'abeilles qui se rapproche.

RICHARD

Venez, ouvrières. Venez, frelons. Noircissez de votre nuage les dernières lueurs du printemps de Richard. Picorez le suc, là où il se trouve. N'épargnez aucune fleur. Tous, en bataillons inexorables, pompez le jus de la terre jusqu'à l'assouvissement. Et moi pendant ce temps, j'accomplirai mes œuvres.

Il sort. On lâche un essaim d'abeilles dans la salle. Le bruit devient assourdissant. Deux api-

culteurs-cosmonautes arrivent lentement, ils chargent les casseaux de fleurs sur une table roulante de chirurgie et sortent tandis que la lumière diminue. Le bruit des abeilles devient insupportable.

FIN

TABLE

ACHEVÉ D'IMPRIMER
EN FÉVRIER 1999
SUR LES PRESSES DE
L'IMPRIMERIE AGMV-MARQUIS
CAP-SAINT-IGNACE (QUÉBEC)
POUR LE COMPTE
DE LEMÉAC ÉDITEUR
MONTRÉAL

DÉPÔT LÉGAL
1re ÉDITION: 3e TRIMESTRE 1981
(ÉD. 01 / IMP. 03)